裁判所
裁判官
検察官
プログラマー
図書館
美容師
司書
消防官
(救急隊員)
気象予報士
建築士事務所
建築士
警察署
POLICE
警察官
弁護士事務所
弁護士

暮らしを支える仕事 見る 知る シリーズ

気象予報士の一日

保育社
HOIKUSHA

はじめに

気象予報士の仕事って、どんなもの？

国家試験をクリアした気象のプロ。観測データをもとに天気を予測します

気象予報士といわれて、みなさんが真っ先に思いうかべるのは、テレビに出ている気象キャスターではないでしょうか。しかし、じつは気象キャスターには必ずしも気象予報士の資格は必要ありません。もちろん、天気について解説をするためには気象の知識が必要なので、最近ではほとんどの気象キャスターが気象予報士の資格をもっています。

では、気象予報士の資格がなければできない仕事とは何でしょう。それは、科学的に気象を予測し、天気予報の内容を作成すること。日本の気象予報の制度は1993年に大幅《おおはば》に改正され、それまで気象庁しかできなかった一般《いっぱん》向けの天気予報を、民間の事業者も行えるようになりました。それにともなって誕生したのが、気象予報士という資格です。国家試験をクリアし、気象の予測を行うために必要な知識と能力をもつと認められた人に、その資格が与《あた》えられます。

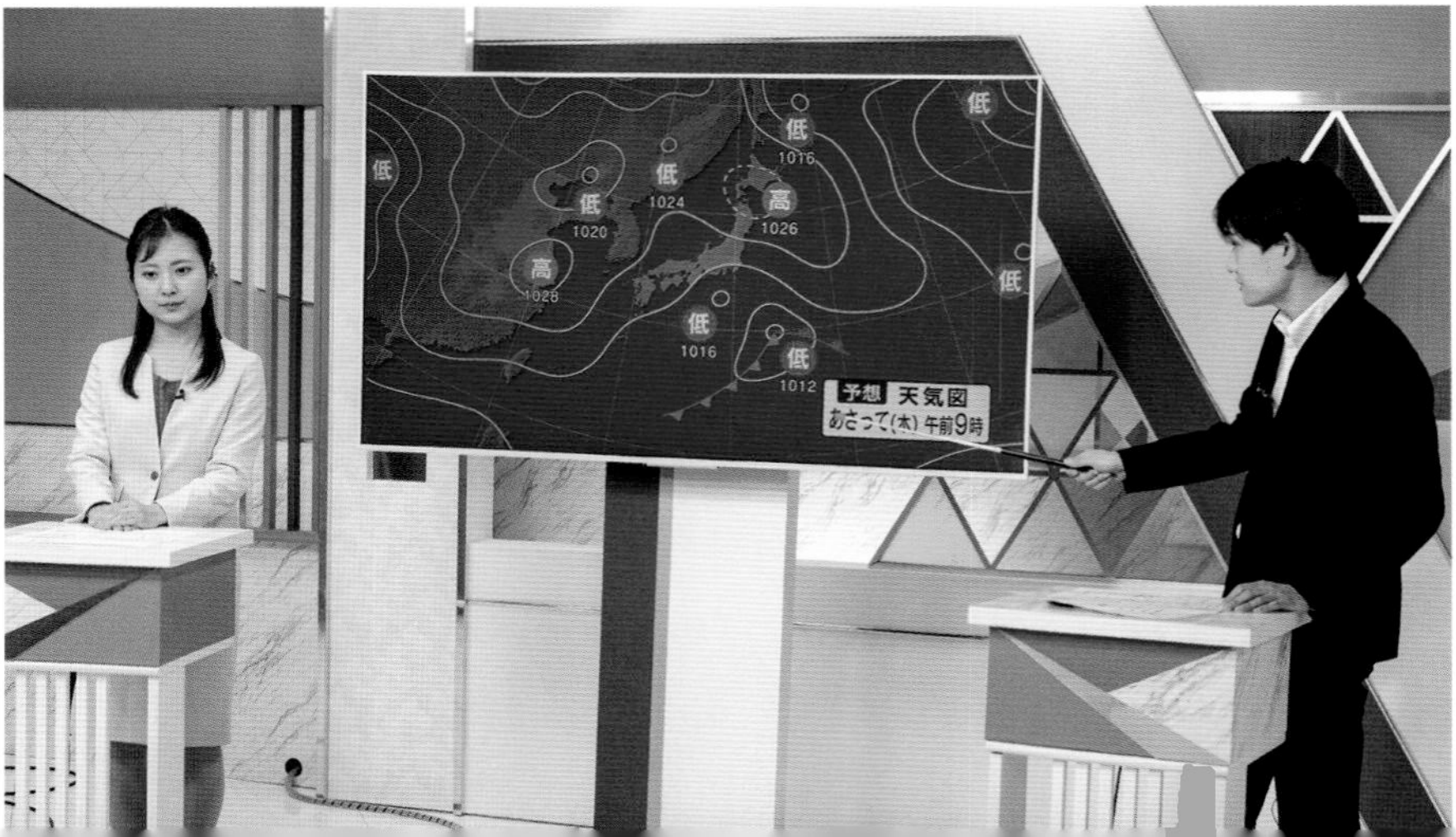

一般《いっぱん》向けの天気予報だけでなく、幅《はば》広《ひろ》い分野で活躍《かつやく》！

民間気象会社などでは、多くの気象予報士が気象を予測する仕事をしています。インターネットのウェブサイトや携帯《けいたい》電話のアプリで目にする天気予報の多くは、民間気象会社の気象予報士がつくったものです。

気象予報士の活躍《かつやく》が求められる分野は、それだけにとどまりません。飛行機や船の運航、食品や衣料品の生産・流通・販売《はんばい》、観光、スポーツなど、私たちの暮らしに密接にかかわる多くの事業が、天気の影響《えいきょう》を受けます。気象予報士は、こうした事業を手がける企業《きぎょう》に対して、気象に関する専門的な情報提供を行い、リスクやコストを低減したり、効率的な生産を助けたりすることができます。さまざまな分野で求められる貴重な存在なのです。

目次

Part 1

気象予報士の一日を見て！ 知ろう！

インタビュー編　いろいろな分野で活躍《かつやく》する気象予報士

Part 2　目指せ気象予報士！　どうやったらなれるの？

※この本の内容や情報は、制作時点（2022年4月）のものであり、今後変更が生じる可能性があります。
※写真はいずれも感染対策を施したうえで撮影したものです。

気象予報士の仕事場

気象予報士というと、テレビの気象キャスターのイメージが強いですが、代表的な仕事場は民間気象会社。ほかにも幅広《はばひろ》い分野で活躍《かつやく》しています。

民間気象会社

気象予報業務を行う民間の会社です。民間気象会社では、気象予報士が観測データをもとに独自の天気予報を作成しています。予報業務にあたることができるのは、気象予報士の資格をもつ人だけです。民間気象会社は、天気予報だけでなく、さまざまな気象情報、気象データを取引先の企業《きぎょう》などに提供しています。

マスコミ

気象予報士が、気象キャスターとしてテレビやラジオの番組に出演したり、天気予報や気象に関するニュースの原稿《げんこう》を作成したりしています。気象キャスターは、民間気象会社から派遣《はけん》されるほか、オーディションなどで直接テレビ局に採用される場合もあります。法律上は資格不要ですが、最近はほとんどの気象キャスターが気象予報士の資格をもっています。

自衛隊

航空機や船の運用には気象の知識が不可欠なため、自衛隊では、気象予報士の資格をもつ人を、特別な技術をもつ「技術曹《ぎじゅつそう》」として任用しています。自衛隊に入ってから資格をとるケースも、資格をもつ人が自衛隊に採用されるケースもあります。

一般《いっぱん》企業《きぎょう》

航空・海運業をはじめ、製造、流通、建設、観光、交通など多くの分野で気象データが活用されており、気象予報士の資格をいかすことができます。また、気象データの活用には、コンピュータをあつかう情報関連企《き》業《ぎょう》も深くかかわっています。

地方自治体

近年、豪雨《ごうう》による浸水《しんすい》や土砂《どしゃ》くずれなどの自然災害が増えていることもあって、地方自治体では防災意識が高まっています。気象予報士の資格をもつ職員が、気象現象を正しく分析《ぶんせき》し、対策を立てる仕事をになっています。

農業・林業・水産業

自然を相手にするため、特に気象の影響《えいきょう》を受けやすい産業です。生産効率の向上や作業日程の計画、大雨、高温、霜《しも》などの被害《ひがい》対策に、気象予報士の知識が役立ちます。

チェック!!

気象庁の予報官には、
気象予報士の資格は不要

気象庁で天気予報などの業務に就《つ》く人を「予報官」といいます。気象庁の予報官になるために、特に資格は必要ありません。気象庁に採用されて必要な研修を受け、天気予報に関する業務に長年たずさわり経験を積むことで、予報官になることができます。

気象予報士は、民間気象会社などが予報業務を行うために必要な資格であり、気象庁の予報官には必要のない資格です。

学校・教育

気象予報士の資格と教員免許《めんきょ》を両方もっていて、中学や高校の理科の教員として働く人もいます。また、気象学などの研究者として大学で研究を続ける人もいます。

気象の観測や予測は、だれがどうやって行っているの？

気象庁は、全国の大気の状態を24時間体制で観測

国の気象業務をになう気象庁は、宇宙から気象現象を観測する気象衛星「ひまわり」、全国約1,300か所に設置した地上気象観測施設《しせつ》「アメダス」などから構成されたネットワークによって、地上から上空までの大気の状態を24時間体制で観測しています。地方自治体や外国の気象機関の観測データも収集します。

気象庁では、これらの観測データをもとに、スーパーコンピュータで将来の気象状《じょう》況《きょう》を予測したり、天気図を作成したりしています。そして、それらを用いて日々の天気予報や注意報・警報などの防災気象情報を作成し、発表しているのです（46～47ページ）。

●気象庁の観測システムの例

気象衛星「ひまわり」

赤道上空約35,800kmから、雲の分布、上空の風、海面の温度などを観測。

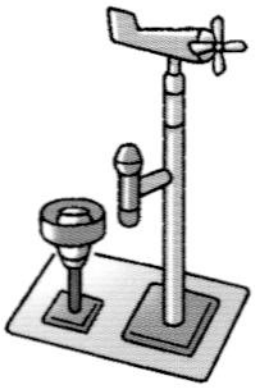

地上気象観測施設《しせつ》「アメダス」

降水量、気温、湿度《しつど》、風向風速を観測（観測所によっては積雪も）。

気象ドップラーレーダー

全国20か所に設置されており、降水の強さや上空の風の分布を観測。

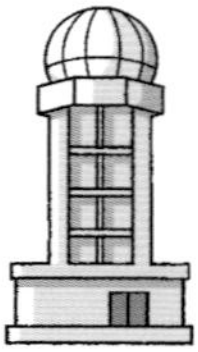

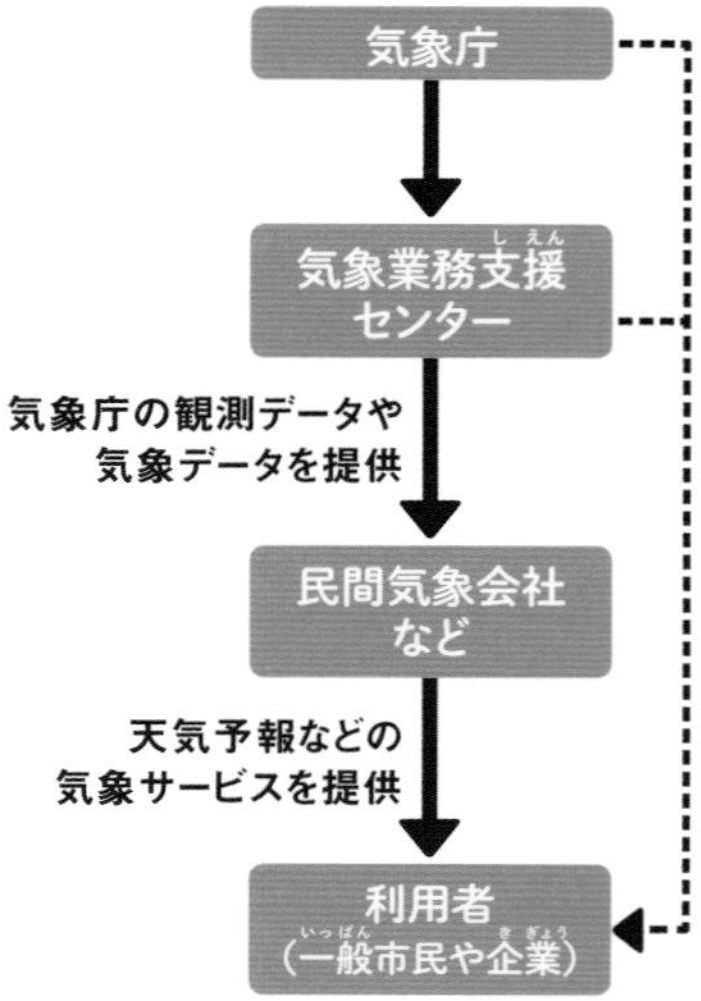

気象庁のデータは民間に提供され、天気予報などの形で活用されます

気象庁が収集した観測データやそれにもとづく気象データは、気象業務支援《しえん》センターという機関を通じて民間に提供されています。アメダスのデータや天気図などは、気象庁のホームページからも入手できます。

民間気象会社は、気象庁が提供するデータを活用して気象の予測を行い、一般《いっぱん》向けの天気予報や、取引先が求める気象情報を作成しています。予報業務には許可が必要ですが、それ以外の目的であれば、一般企《いっぱんき》業《ぎょう》や報道機関なども、気象庁のデータを直接利用することができます。

Part 1

気象予報士の一日を見て！ 知ろう！

民間気象会社の気象センターで働く気象予報士と
気象キャスターとして働く気象予報士、
それぞれの一日に密着！

予報センターで働く気象予報士の一日

取材に協力してくれた気象予報士さん

金城《きんじょう》 由未子《ゆみこ》さん（26歳《さい》）
株式会社ウェザーニューズ
予報センター 予報担当
気象予報士

Q どうして気象予報士になったのですか？

中学校の授業中に空を見ていたら、雲が現れたり消えたりしていて、「理科の授業で習った雲のでき方って、こういうことなんだ」と気象に興味をもち始めました。その後、本格的に気象を学び、大学4年生で気象予報士の資格を取得。気象災害で亡《な》くなる人もいることから、天気予報で人の命を守りたいと思い、今の会社に就職しました。

Q この仕事のおもしろいところは？

天気予報は必ず結果が出ます。特にゲリラ雷雨《らいう》の予報は、早ければ数十分後に結果がわかるのでドキドキします。天気予報を携《けい》帯《たい》電話のアプリで提供しているので、ユーザーからの反応を直接見ることができ、「予報が当たった」「洗濯物《せんたくもの》をとりこんでよかった」などの声があるとやりがいを感じます。

ある一日のスケジュール

8:00	出勤、天気予報作成
10:00	他部署とブリーフィング
10:30	天気マークの作成
12:00	報道気象事業部とブリーフィング
13:00	天気予報アップデートなど
14:00	休憩《きゅうけい》
16:30	引きつぎ
17:00	終業

? 天気予報は
どうやってつくるの?

8:00

出勤、天気予報作成

きょうも一日
がんばるぞ！

きょうは低気圧が
本州を通過して、
明日には東の海上へと

予報センターでは約50人の気象予報士が交代で予報業務にあたっています。気象のほかにも、地震《じしん》、津波《つなみ》、火山、海の波や氷、海流、大気中の汚染《おせん》物質など、地球規模で発生するあらゆる現象の解析《かいせき》や予測を行っています。

コンピュータで割り出した予報に、気象予報士の知識や経験をプラス

朝は、入口のシステムに出勤の登録をしてから、予報センターへ向かいます。予報センターは、全世界の気象の監視と予測を行う、気象会社の心臓部ともいうべき場所です。

天気予報は、気象庁をはじめとする世界中の公的機関のデータ、自社の独自観測データ、アプリユーザーからの天気報告を集約して解析《かいせき》し、作成します。

まずは、夜勤担当者が組み立てた天気予報を確認《かくにん》。現在の天気がどんな状況《じょうきょう》か、どのように変化してきたのか、なぜそうなっているのかを把握《はあく》します。次に、世界各国の数値予報(※)や、数値予報をもとにつくられた気象予測データをチェック。これらを参考に、今後の天気の見通しを立てていきます。

天気予報をつくる際には、コンピュータが導き出した予報に、気象予報士の知識や経験をもとに修正を加えることが重要です。

※数値予報：気温、風などの観測データをもとに、スーパーコンピュータでその時間変化を計算し、将来の大気の状態を予測したもの。

10:00

他部署とブリーフィング

天気予報は
どんなふうに利用される?

低気圧は
東に抜《ぬ》けますが、
また次の低気圧が
西から接近してきます
通勤通学の
時間帯に雨は
降りますか?
きょうとの
体感差を
教えてください

リモートでのブリーフィングで、作成した天気予報のポイントを共有。体感気温や天気の変化の流れといった、一般《いっぱん》の人が知りたい情報に重点をおいて伝えます。

一般《いっぱん》向けに発表されるほか、あらゆる産業で役立てられます

作成した翌日の天気予報は、１枚のシートにポイントをまとめて、ほかの部署の担当者と共有します。10時からは、一般《いっぱん》向けの情報発信を担当する部署とのブリーフィング（情報共有）です。この部署が、共有した天気予報を加工して、自社のウェブサイトや携《けい》帯《たい》電話用アプリで発表します。

予報センターで作成した天気予報は、一般《いっぱん》向けに提供されるほか、分野ごとの専門的な気象サービスとしても展開されます。天気予報が求められる分野は幅《はば》広《ひろ》く、ほとんどの産業で活用されているといってもよいほどです。この会社には、航海、航空、道路、鉄道、建設、流通、農業、放送、スポーツなど、さまざまな分野を担当する部署があります。各部署が、ベースとなる天気予報をもとに、その分野で役立つきめ細かい気象情報を作成し、取引先に提供しているのです。

COLUMN

花粉や桜の開花など季節の予報も

天気とあわせて、人びとの暮らしにかかわる季節ごとの予報も行い、一般《いっぱん》向けや放送局向けの情報として提供します。

この会社の予報センターで働く気象予報士は、通常の天気予報以外に、花粉の飛散量、桜の開花、紅葉の見ごろといった季節ごとの予報も、手分けして担当しています。こうした予報には、天気や気温などの気象条件が深くかかわっているからです。作成した季節の予報は、天気予報と同じように、一般《いっぱん》向けや放送局向けの情報として活用されます。

春先の花粉の飛散量は、花粉症《かふんしょう》の人にとっては天気と同じくらい気になる情報です。気象予報士は、天気や気温、風の強さを分析《ぶんせき》し、設定した花粉の発生源からの飛散量を予測します。この会社では、全国約1,000か所に、通信機能を備えた花粉の自動観測機を設置。その観測データも予測に活用しています。

夏場を中心に活躍《かつやく》する「ゲリラ雷雨《らいう》防衛隊」というチームもあります。予測しづらいゲリラ雷雨《らいう》の予報をアプリで通知して、人びとを災害から守ることが使命です。突発的《とっぱつてき》なゲリラ雷雨《らいう》を予報するには、雨雲に発達しそうな雲をいち早く発見することが重要。全国のアプリユーザーにも参加してもらい、あやしい雲を写真で報告してもらいます。写真は一日に2万通ほど送られてきます。レーダーではわからない各地のリアルタイム情報を得られる一方、寄せられた情報の解析《かいせき》が重要。気象予報士の腕《うで》の見せどころです。

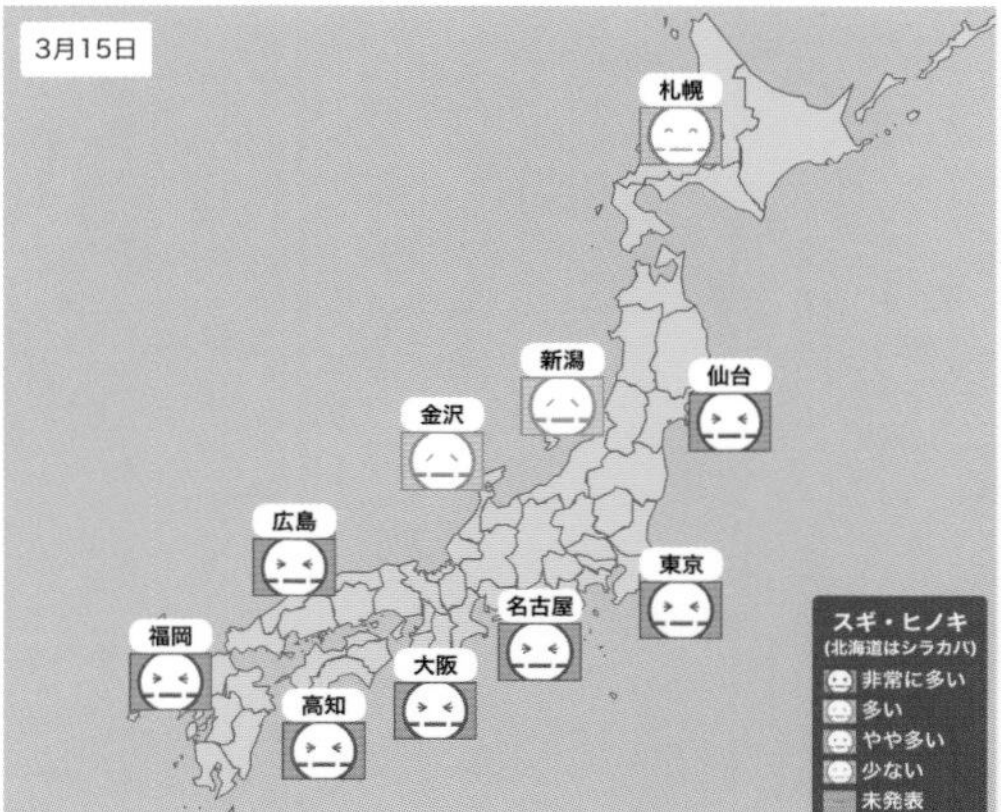

天気予報と同じように、花粉予報もウェブサイトや携帯《けいたい》電話用アプリで発表しています。

ウェザーニューズが開発した花粉観測機「ポールンロボ」。設置場所の花粉の飛散量を計測して、データを自動送信します。

10:30 天気マークの作成

天気マークにはどんな決まりがある？

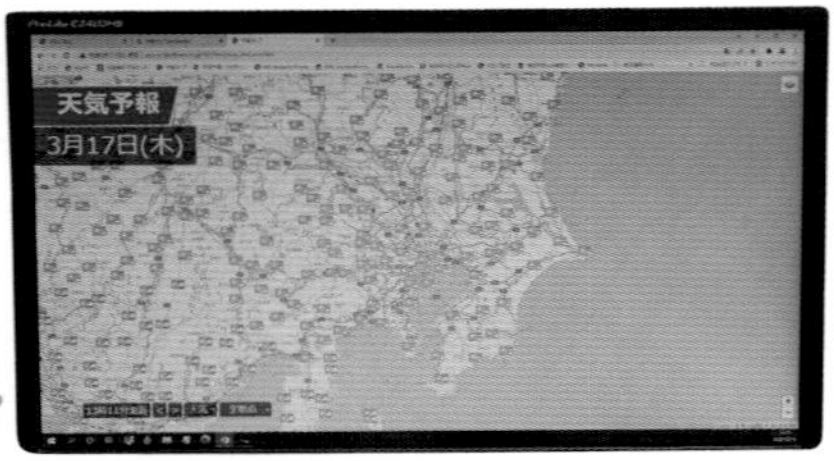
天気予報
3月17日(木)

テレビなどの天気予報でもおなじみの太陽や雲のマークが、日本地図にびっしりとつけられています。

上空の
うすい雲が広がり
そうだな…

複数の数値予報（13ページ）のモデルを見ながら、どの程度の「晴れ」なのかなどを判断し、天気マークに反映させていきます。

デザインや種類に決まりはなく、気象会社ごとにくふうしています

天気予報を作成、共有したあとは、全国の主要都市の1時間ごとの天気マーク（天気アイコン）を決めていきます。

天気マークは、天気予報がひと目で伝わるようにするために示すものです。デザインや種類に決まりはなく、太陽や雲のイラストを用いるなど、気象会社がそれぞれくふうして、わかりやすいものを決めています。

アプリでは全国約37万か所の天気予報を提供しているので、天気マークの数は膨大《ぼうだい》。まずはコンピュータのシステムによって自動的にマークをつけ、それを手作業で修正していきます。天気の感じ方やとらえ方といった人間の感覚を、天気予報に反映させるのです。例えば、雲の量が少ないためコンピュータが「晴れ」と判断する場合でも、日差しの強さや湿度《しつど》によっては、「くもり」と表したほうがよいこともあります。

12:00

報道気象事業部とブリーフィング

気象庁の予報と民間の予報のちがいは何?

雨をもたらすほどではないけど、関東は風の衝突《しょうとつ》で雲が発生しそうだよ
では21時にくもりを追加しましょう

判断が難しいところがあれば、ほかの気象予報士にも意見を聞き、相談しながら予報の方針を決定します。

M3 DMC

台風や大雨など緊急《きんきゅう》度《ど》の高い気象状況《じょうきょう》のときは、このブリーフィングの前に、あらゆる部署のメンバーが集まって情報を共有します。

民間の天気予報は、範囲《はんい》や時間の区切りが細かく、更新《こうしん》もひんぱん

12時からのブリーフィングでは、最終的な天気マークを決定。ここで決定したものが、テレビの天気番組などでも使われます。

報道気象事業部は放送局を支援《しえん》する部署で、番組制作に必要な天気予報などの情報を、取引先の局に提供しています。より正確でわかりやすい天気予報を視聴者《しちょうしゃ》に届けるため、このブリーフィングで、天気の大まかな流れや予報の方針も共有します。

マスコミで発表される天気予報は、気象庁の予報か、気象庁以外がつくった民間の予報のどちらかですが、いずれも気象の専門家が作成しているため、予報の内容にそれほど大きな差は出ません。ただ、民間気象会社の天気予報は、市区町村単位や1時間ごとといったくわしい情報があり、ひんぱんに更新《こうしん》されるのが特徴《とくちょう》。予報を組み立てる手順や方法も、各社が独自に考えています。

13:00

天気予報アップデートなど

天気予報は
一日に何度も
見直すものなの？

北のほうでは
モクモクとした雲が
増えてきたなぁ

データだけでなく、実際に空を見ることもだいじです。大きな双眼鏡《そうがんきょう》を使い、雲がどう発達していくのかを自分の目で観察。予報をつくる際の参考にします。

天気は常に変わっていくもの。天気予報も見直しが必要です

天気予報の大もとになる数値予報や気象予測データは定期的に更新《こうしん》されるので、それを受けて翌日の天気予報を見直し、アップデート（最新の状態にすること）します。

天気は刻一刻と変わっていきます。将来の天気の予測は、現在の天気をもとにして行いますから、現在の天気が変化すれば、天気予報も変わります。天気予報は、一度つくったらそれで終わりではないのです。

気象予報士は天気の状況《じょうきょう》を観察し、ひんぱんに天気予報を見直していますが、情報更《こう》新《しん》の回数やタイミングは、予報が活用される分野によって異なります。例えば、携帯《けいたい》電話用アプリの場合、当日と翌日の天気予報は一日に5回、大きく更新《こうしん》します。最新の予報を最速で提供できるよう、予報に変化があれば、このタイミング以外でも、随時変更《ずいじへんこう》を加えています。

? 天気予報ってどのくらい当たるの？

北海道では等圧線の間隔《かんかく》が混んでいて、風が強そうです
weathernews

解説員への引きつぎでは、生活や交通に影響《えいきょう》が出るような大雨や大雪、花粉の飛散や急な気温変化など、その日の話題になりそうなことも伝えます。

14:00 休憩《きゅうけい》

雨が降るかどうかは、90％近い精度で予報できます

この会社では、予報センター内にあるスタジオから、動画番組で常に最新の気象・防災情報を伝えています。予報センターの気象予報士は、この番組に出演する解説員に、天気予報の引きつぎをします。解説員を務めるのはベテランの気象予報士なので、伝える内容も専門的。予報作成時、判断に悩《なや》んだポイントや、予報にどんなずれがどの程度生じる可能性があるかを伝えます。

天気予報作成の参考となるデータは複数あり、どれに重点を置いて予報をつくるかで内容は変わります。ときには予測が難しく、予報が外れてしまうこともありますが、近年では、雨が降るかどうかを90％近い精度で予報することができています。

14時ごろには、少し遅《おそ》めの昼休みをとり、ほっとひと息。その後も、天気マークの確《かく》認《にん》・調整などの仕事が続きます。

？

予報の仕事に夜勤があるのはなぜ？

16:30 引きつぎ

西日本の夜の雨がどこまで広がるか、再検討お願いします

作成した予報は現段階での気象状況《じょうきょう》を前提としたものなので、数時間後に条件が変われば、再度検討が必要になることも。留意してほしいポイントを伝えます。

17:00 終業

おつかれさまでした！

刻々と変化し続ける気象状況《じょうきょう》を、気象予報士が交代で常に監視《かんし》

この日の業務は日勤担当で、17時に終業です。終業前に、夕方以降の担当者に天気予報の内容を引きつぎます。翌日の天気について、再度検討するべきポイントを共有し、猛暑《もうしょ》、大雨や大雪など、注意が必要な状《じょう》況《きょう》があればそれを伝えます。

天気は眠《ねむ》らないので、予報センターでは24時間365日、常にだれかが天気を監視《かんし》しています。そのため、日勤、朝番、遅番《おそばん》、夜勤とさまざまな勤務形態を交代で担当します。休日はだいたい週2日ですが、シフト制のため、決まった曜日が休みという形ではありません。また、台風や大雪などのときは人手が必要になるので、休日を別の日に変更《へんこう》して、臨時で勤務することがあります。

天気予報をつくる仕事は奥《おく》が深く、勉強すべきことも多いですが、経験を重ね、より正確な予報が出せるよう努力する日々です。

COLUMN

予報センターのいろいろな仕事

当日のリアルタイムの天気を見ながら予報を調整する「実況《じっきょう》担当」、翌々日から7日後の予報をつくる「週間担当」などの仕事も。

予報センターでつくる天気予報は、翌日のものだけではありません。この会社では、翌日の天気予報をつくる「翌日担当」（13～20ページで紹介《しょうかい》した仕事）のほかに、「週間担当」や「実況《じっきょう》担当」などの仕事があります。予報センターの気象予報士は、これらの仕事を持ち回りで担当。相談しながら天気予報をつくっています。

「週間担当」は、翌々日から7日後の天気予報を決める仕事です。天気予報は、予報する時刻や日にちが先になるほど、精度が低くなります。つまり、きょう、明日の予報と比べて、週間天気予報のほうが、当てるのが難しいのです。これは、現在の気象状況《じょうきょう》がどのように変化するかという振《ふ》れ幅《はば》が、未来になるほど大きくなるため。ここに、「週間担当」の仕事の難しさがあります。

「実況《じっきょう》担当」は、全国の観測データをチェックするなどして現在の天気や気象状況《じょうきょう》を把握《はあく》し、当日の天気予報を修正する仕事です。例えば、予報よりも早く雨が降り始めた場合、雨が上がるタイミングも予測とずれる可能性があるので、そこから先の予報をすぐさま更新《こうしん》します。

そのほかに、リアルタイムで発生している竜巻《たつまき》やゲリラ雷雨《らいう》などの気象現象を解析《かいせき》する仕事もあります。これらの現象は、限られたせまい範囲《はんい》で発生するため、ふつうの天気予報ではとりこぼしやすいもの。くわしく解析《かいせき》して、ほかの地域の予報にもいかします。

このように、さまざまな角度から最新の天気予報を作成しているのです。

間天気予報
札幌
東京
名古屋
大阪

このあたりは
予報よりも早く
降り出しそう
だな…

気象キャスターとして働く 気象予報士の一日

取材に協力してくれた
気象予報士さん

宮田《みやた》 雄一朗《ゆういちろう》さん（29歳《さい》）
一般財団《いっぱんざいだん》法人日本気象協会
気象予報士

Q どうして気象予報士になったのですか？

登山やバイクが趣味《しゅみ》で、気象情報を必要とすることが多かったため、気象の勉強を始めたことがきっかけです。資格取得時は別の仕事をしていましたが、せっかくなら気象の仕事をしようと考え、民間気象会社に転職。1年ほどたったころ、「山が好きなら」と、山梨の放送局での気象キャスターの仕事をすすめられ、この仕事は現在2年目です。

Q この仕事のおもしろいところは？

自分が伝えた天気予報が当たるか当たらないか、毎日が勝負です。必ず次の日が答え合わせで、うやむやにできないプレッシャーはありますが、当たると手応えを感じます。街中で「いつも見ています」と声をかけられると、大勢の人に見られていることを改めて実感し、もっとがんばろうと思います。

ある一日のスケジュール

9:30 出勤、天気検討会
▼
10:30 天気図解析《かいせき》、原稿《げんこう》作成
▼
12:50 ケーブルテレビの気象情報番組に出演
▼
13:00 移動、昼食
▼
14:00 打ち合わせ
▼
16:30 原稿《げんこう》確定
▼
17:30 リハーサル
▼
18:40 テレビのニュース番組に出演
▼
19:30 終業

9:30

出勤、天気検討会

？ 出勤したら、まず何をするの？

きょうも一日がんばるぞ！

甲府《こうふ》で積もれば今シーズン初めてだね

天気図などの気象データや、基本的な予測の内容は、分析《ぶんせき》を担当する気象予報士があらかじめ準備。それを画面で確認《かくにん》しながら全員で検討します。

ほかの気象予報士たちと情報共有し、予報の内容を検討

朝は、勤務先である山梨県のケーブルテレビ局の気象情報室に出勤します。気象キャスターの多くは、民間気象会社から放送局に派遣《はけん》された気象予報士です。宮田《みやた》さんも、東京の気象会社から派遣《はけん》されています。

このケーブルテレビ局に在籍《ざいせき》するスタッフは、5人とも気象予報士。この局は、予報業務許可事業者（66ページ）として気象庁長官の許可を得ているので、独自の予報を作成し、公表することができます。

出勤したら、朝のミーティングのあと、スタッフ全員で天気検討会を行います。その時点での気象データと予測の内容を共有し、各自の意見を伝え合うのです。例えば、「この低気圧は、もっと発達するのでは？」「上空の気温しだいでは、雨ではなく雪になる可能性もあるかもしれない」といったことを話し合い、予報の内容を決めていきます。

10:30

天気図解析《かいせき》、原稿《げんこう》作成

気象情報はどこから入手するの？

常に最新の気象情報をチェックするために、ノートパソコンは手ばなせません。

気象庁のホームページでは、最新の気象データや、気象衛星ひまわりによる画像などをだれでも見ることができます。

民間の気象会社や気象庁の情報を何度もこまめにチェック

天気検討会が終わったら、自分のデスクでパソコンに向かい、天気図をよりくわしく解《かい》析《せき》します。そして、出演する番組で伝えるべき内容を決めていきます。夕方に出演するニュース番組の天気コーナーの原稿《げんこう》の原案も、この時間に作成します。

おもに参考にしているのは、インターネットを通じて、所属先の気象会社が配信する高層天気図（※）や数値予報のモデルです。さらに、気象庁のホームページで公表されているリアルタイムの気温、風速、降水量などのデータも参照して、情報を補います。ほかの民間気象会社がどんな予報を出しているかどうかも、参考までにチェックしています。

空の状況《じょうきょう》は刻々と変化するため、気象情報は一日に何度も更新《こうしん》されます。より正確な予報を伝えるためには、こまめにチェックして最新の情報を入手することが大切です。

※高層天気図：上空の気象状態を示す天気図。一般的《いっぱんてき》な天気図（地上天気図）よりも地形などの影響《えいきょう》が少なく、天気の流れを読みやすい。

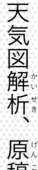

12:50

ケーブルテレビの気象情報番組に出演

?

地域の天気予報を伝えるときに、気をつけていることは?

今朝は、昨日までと比べて、やや冷えこみがゆるんだ感じがしましたね

この番組では、自然な感じで伝えるために、原稿《げんこう》を用意せず、画像を見ながらしゃべるようにしています。

このケーブルテレビ局では、カメラのセッティングや画面の切りかえを、気象情報室のスタッフも行います。

地域の暮らしに密着した情報を、親しみやすい雰囲気《ふんいき》で伝えます

ケーブルテレビ局では、平日昼の気象情報番組に出演します。本番の1時間前には、スタジオに入ってリハーサル。実際にしゃべりながら、あやふやな部分や話しにくい部分がないかを確かめ、本番までに調整します。

地元に密着したケーブルテレビ局の番組なので、伝えるのは県内のエリアごとのくわしい気象情報です。こうした気象情報は、全国放送であつかわれることはありませんが、その土地に暮らす人にとっては大切なもの。「洗濯物《せんたくもの》はよくかわきそうです」「火のとりあつかいに注意しましょう」など、生活に寄りそったコメントもそえています。また、番組の視聴者《しちょうしゃ》が県内の人ばかりであることも、全国放送とちがうところ。気象キャスターは視聴者《しちょうしゃ》とほぼ同じ天気を体感しているので、自分の体感をまじえ、共感や親しみやすさを感じてもらえる伝え方をくふうしています。

13:00

移動、昼食

? 昼食や休憩《きゅうけい》をとる時間はある?

朝よりも
雲が少なく
なったな…

移動中も、雲の動きや形、気温や風の体感などをチェックしています。

テレビ局の屋上から空を見ることも。写真のように富士山に雲がかかっているときは、天気がくずれやすい傾向《けいこう》があります。

自由に使える時間は多いですが、常に頭にあるのは天気のこと

ケーブルテレビの生放送が終わると、別のテレビ局へ移動。これ以降は、グループ会社である山梨県の地方テレビ局で業務にあたるのです。こちらでは、夕方のニュース番組の気象キャスターを務めます。

移動は、気分転換《てんかん》をかねて30分ほど徒歩。局の食堂で昼食をとったら、リハーサルまでは本番の準備をします。時間の使い方は自分に任されていますが、本番に向けて常に最新の気象情報をチェックしています。

アナウンス室の一角でデスクワークをするほか、実際に外に出て天気の状況《じょうきょう》を体で確かめることもあります。天気をリポートするためには、体を通して得られる情報も大切です。空のようすなどの自然現象を観察して、経験をもとに天気を予想することを「観天望《かんてんぼう》気《き》」といいます。気象予報士の仕事には、この観天望気《かんてんぼうき》が欠かせません。

14:00

打ち合わせ

? 番組で伝える内容はどうやって決めるの?

気象庁からの情報は、もう出てるの?
くわしい数値はまだですが、予報としては出ています

どの情報を、どのタイミングで、どのくらいくわしく説明するか、最新の気象情報もふまえて細かい点を話し合い、話題を足したりけずったりして、原稿《げんこう》を調整していきます。

重要と思われる情報をまとめ、担当ディレクターに提案

出演するニュース番組が始まる4時間ほど前に、気象担当のディレクターと打ち合わせをします。ディレクターとは、番組制作現場の責任者。番組制作にかかわるさまざまな分野のスタッフに具体的な指示を出し、番組をつくり上げていく職種です。

その日の天気コーナーの原稿《げんこう》は、午前中のうちに、ディレクターにメールで送っておきます。天気図を解析《かいせき》して、重要と判断した情報を原稿《げんこう》にまとめるのは、気象予報士である気象キャスターの仕事です。打ち合わせでは、その原稿《げんこう》をもとに天気コーナーの内容について相談します。

ときには、ディレクターから「コーナーの導入部分に、この映像を入れては?」「視聴《しちょう》者《しゃ》からめずらしい雲の写真が届いているので使えないかな?」といった提案を受けて、内容をガラリと変更《へんこう》することもあります。

16:30

原稿《げんこう》確定

?
放送で使う
天気図や画像も
自分で用意するの?

作成してもらった素材は、本番前に必ずチェック。必要があれば修正してもらいます。

手直しを加えたあと、ディレクターにチェックしてもらい、原稿《げんこう》が確定となります。

わかりやすく解説するために必要な素材を美術部に発注

ディレクターとの打ち合わせを終えたら、局内の美術部へ。美術部は、スタジオセットや小道具など、テレビに映るあらゆるものをつくる部署です。テレビ画面に表示する文字や画像もここで作成しています。

天気コーナーで使う天気図や衛星画像などは、民間気象会社が配信する報道用のデータをテレビ局が購入《こうにゅう》して使いますが、話したいことに合わせて、文字やイラストを加えたり、新たに画像を用意したりする場合には、気象キャスターがパソコンで自作した画像を見せるなどして美術スタッフにイメージを伝え、作成してもらいます。

リハーサルの1時間前には、その時点での最新の情報をふまえて修正を加え、原稿《げんこう》を確定します。短時間で天気が変化したり、予報の内容が変更《へんこう》されたりすることもあるので、その後も臨機応変に手直しします。

COLUMN

天気予報はテレビ局によってちがう？

多くのテレビ局では、気象庁か民間気象会社の天気予報を採用。なかには、許可を得て独自の予報を伝える局もあります。

天気予報をつくり、発表することができるのは、気象庁以外では、気象庁長官の許可を得た予報業務許可事業者だけと法律によって決められています（66ページ）。ですから、テレビ番組の天気コーナーで伝えられる天気予報は、気象庁がつくった予報か、予報業務許可事業者がつくった予報のいずれかです。

予報業務許可事業者として許可を得ているのは、気象に関する業務を専門に行う民間気象会社だけではありません。意外に多いのが、テレビ局が予報業務の許可を得ているケース。この場合は、テレビ局が独自の予報を出すことができます。

こうした一部のテレビ局を除いては、気象庁の予報か、契約《けいやく》している大手の民間気象会社の予報を用いるのが一般的《いっぱんてき》です。どの天気予報も基本的には気象庁の観測データをもとにしているので、大きな差は出ないものの、解析《かいせき》の仕方によって多少のちがいやそれぞれの特色があります。テレビの天気予報を注意深く見ていると、チャンネルによって天気マークや降水確率が少しずつちがっていることに気づくかもしれません。

テレビを見ていると、「あの気象キャスターの予報はよく当たる」「あの人の予報は当たらない」などと思ってしまいがちですが、伝えている予報そのものは、ほとんどの場合、テレビに出て解説している気象キャスター自身が決めた内容ではないのです。とはいえ、予報のどこに注目し、どう解説するかには、それぞれの気象キャスターの個性があらわれるもの。よりわかりやすく伝わる解説を目指して、それぞれがくふうをこらしています。

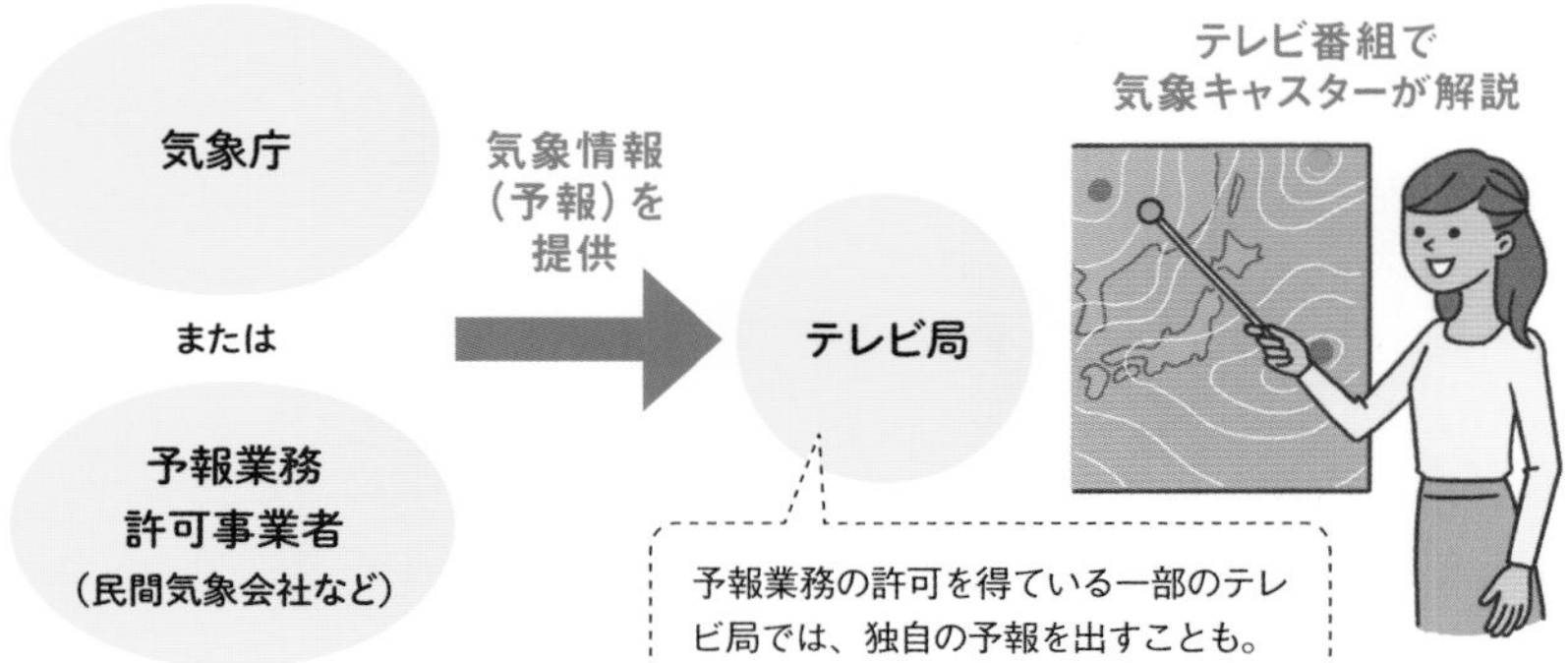

17:30 リハーサル

リハーサルでチェックするのはどんなこと?

リハーサルでは、音声やカメラ映りもチェック。スタジオには、出演者やスタッフに指示を送るフロアディレクター、撮影《さつえい》を担当するカメラマンなどがいます。

時間内に収まっているか確認《かくにん》し、わかりにくいところがあれば修正

出演時刻の1時間ほど前にはリハーサルを行います。ケーブルテレビの昼の番組とちがい、ニュースキャスターとのかけ合いをはさみながら、気象情報を伝えていく形式です。リハーサルは、本番と全く同じように、原稿《げんこう》に沿って進行します。

リハーサルでいちばん気になるのは時間です。天気コーナーの長さは全部で3分30秒と決まっています。ニュース番組は内容がつまっているため、超過《ちょうか》が許されるのは10秒以内。用意した原稿《げんこう》が時間内に収まらない場合は、やむをえず一部をけずることになります。逆に、リハーサルで時間が余るとわかれば、本番はゆったりと進行できます。

時間に問題がない場合でも、実際に本番通りに説明してみてわかりにくいところがあれば、表現を変えるなど、本番までに多少の修正を加えます。

18:40

テレビのニュース番組に出演

テレビに出るのって、緊張《きんちょう》しないの?

何か新しい情報が発表されていないかな？

コントロールルームは、機器を操作して映像や音声の切りかえ、調整を行う部屋。文字通り、番組の進行をコントロールするところです。

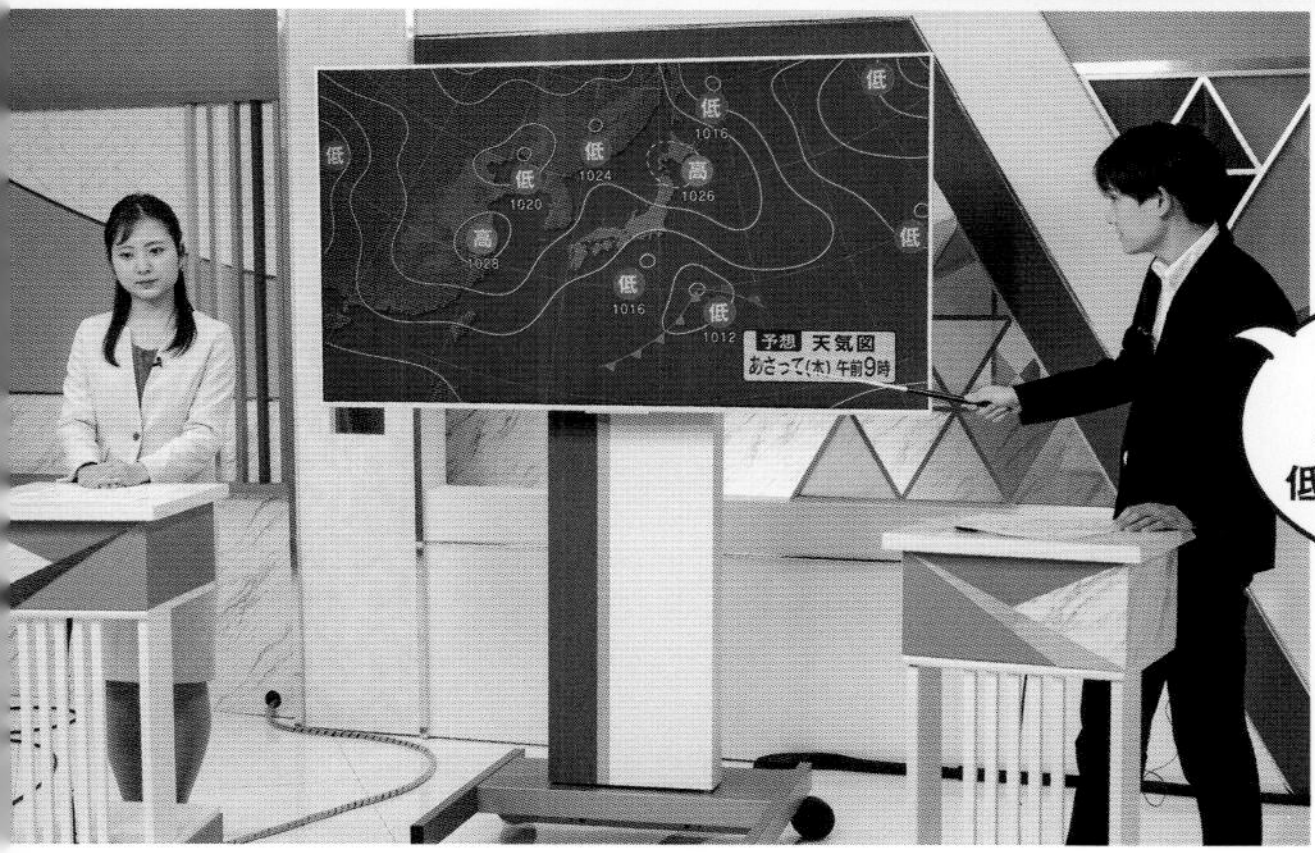
予想 天気図
あさって(木) 午前9時
あさってには、ここにもう一つ低気圧が現れて…

どこに注目すべきか、天気図を指し示して解説します。

緊張《きんちょう》はしますが、時間厳守で、しっかりと気象解説を伝えます

リハーサルが終わり、本番が近づくと、スタジオの周囲はあわただしい雰囲気《ふんいき》に包まれます。18時15分に番組が始まったら、出演する天気コーナーまでの間はスタジオのとなりのコントロールルームで待機《たいき》。できるだけ新しい情報を伝えるために、出演する直前まで気象情報をチェックしています。

この番組は生放送。時間厳守が鉄則です。出演中も見える位置にモニター画面があり、残り時間が表示されているので、話すスピードや間を調節して番組の進行が乱れないようにする必要があり、気が抜《ぬ》けません。

テレビ出演はもちろん緊張《きんちょう》しますが、気象予報士としての知識をいかし、しっかりと気象解説を伝えるのが気象キャスターの役目。気象に関する知識を深めるとともに、もっと自信をもって伝えられるように、声の大きさや発音なども、日々練習を続けています。

わかりやすく解説するために努力していることは?

なるほど。
この見せ方は
わかりやすいな…

テレビ局では、ほかのチャンネルもふくめた全番組を録画しているので、放送内容をあとからチェックすることができます。他局のベテラン気象キャスターの解説は、とても参考になります。

19:30

終業

おつかれさまでした！

ほかの気象キャスターの解説も参考にしながら、日々試行錯誤《さくご》

本番が終わると、番組関係者全員で簡単な反省会を行います。放送をふり返って、おもにプロデューサーやディレクターが番組全体についてコメントをしますが、台風や大雪が話題になっているときなどは、気象キャスターが解説を求められることもあります。

反省会のあと、退勤前には、アナウンス室にもどって、ほかのチャンネルの天気コーナーをチェックするのが日課です。自分が出演しているのとほぼ同じ時間帯に、いくつかのチャンネルで天気コーナーが放送されているため、あとから見て勉強しています。

気象解説のやり方には正解がありません。どんな画像を使って、どんな言葉を選び、どんな流れで説明するかは、人それぞれ。この仕事の難しくもおもしろいところです。ほかの気象キャスターのやり方にも学びながら、よりわかりやすい解説を目指しています。

COLUMN

テレビに出ない気象予報士がいる放送局も

東京や大阪の大きなテレビ局などでは、気象関係の報道の原稿《げんこう》作成やチェックなどを専門に行う気象予報士も働いています。

キー局や準キー局と呼ばれる大きなテレビ局などでは、気象キャスター以外にも気象予報士が活躍《かつやく》しています。テレビ局に就職したり、民間気象会社から派遣《はけん》されたりして、報道局のスタッフとして勤務するケースが多いようです。

テレビ局には、気象センターやウェザーセンターと呼ばれる専門の部署が設けられていることがあります。局としての気象情報の収集や活用、検証を担当するところです。ここで働く気象予報士は、気象デスクと呼ばれ、気象に関する報道の原稿《げんこう》作成、取材先選び、記者が取材してきた内容のチェックなど、番組を制作するうえで、気象の専門的な知識が求められる仕事にたずさわっています。

このような部署があるテレビ局の場合、ニュース番組の天気コーナーについても、気象キャスターがひとりで内容を考えて原稿《げんこう》を作成するのではなく、ほかの気象予報士にフォローしてもらいながら、何人かで天気コーナーの内容をかためていくことになります。

気象デスクとして働く気象予報士は、大雨や大雪、台風など、天候の悪化で災害が予想されるようなときには、特にいそがしくなります。L字テロップといって、通常の番組を放送しながら最新の情報を常に画面に表示したり、ときには臨時番組を組んだりすることもあるからです。

気象キャスターのように表に出る仕事ではありませんが、テレビを通じて正確な気象情報を伝えるために、気象デスクは欠かせない存在です。

INTERVIEW 1

商品の需要《じゅよう》予測を行う気象予報士

峠《とうげ》 茉《ま》里《り》奈《な》さん
一般財団《いっぱんざいだん》法人日本気象協会
社会・防災事業部 気象デジタルサービス課
データ解析《かいせき》グループ　気象予報士

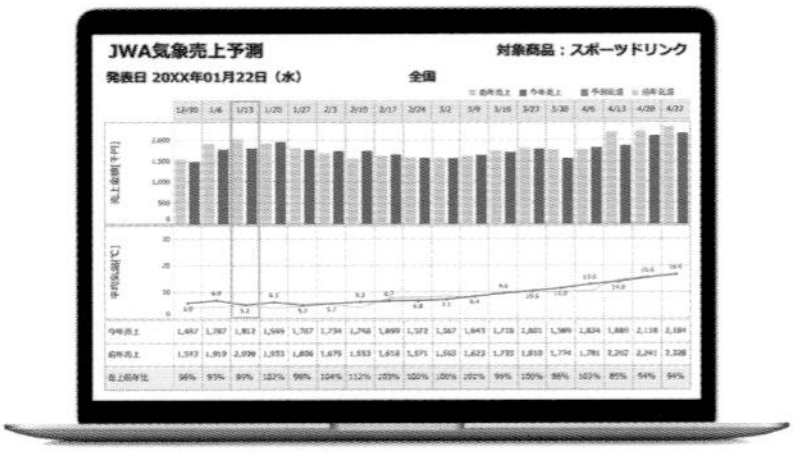

顧客《こきゃく》である企業《きぎょう》の業種や、あつかう商品の種類に応じて、気象データを反映させた情報をさまざまな形で提供します。

※画像はイメージです。

出荷量《しゅっかりょう》などの商品データと気象データをあわせて解析《かいせき》することで、適正なタイミングで適正な量の商品を製造・出荷《しゅっか》・販売《はんばい》するサポートをしています。

企業《きぎょう》の担当者に、天気の見通しを説明するとともに、分析《ぶんせき》した需要《じゅよう》予測を伝えます。

Q1 どんな仕事をしているのですか?

民間気象会社に所属し、気温などの変化によって商品が今後どれくらい売れるかという需要《じゅよう》予測をしています。世の中の多くの商品は、気温などの気象要素によって売上や出荷量《しゅっかりょう》が大きく変化するため、食品や日用品をあつかうさまざまな企業《きぎょう》が、需要《じゅよう》予測の情報を求めています。私たちは、数日先から数か月先までの気象予測情報を活用して需要《じゅよう》予測を行い、その情報を顧客《こきゃく》である企業《きぎょう》に提供しています。企業《きぎょう》の適切な生産・在庫管理をサポートすることは、売れ残って捨てられてしまう食品の削減《さくげん》などにもつながります。

Q2 おもしろいところややりがいは?

気象は科学のなかでも生活と結びつきが強いものです。日常のさまざまな商品が、気象とどのように関係し、売上などにどのくらい影響《えいきょう》するのか、ふだん意識しないような社会の一面を見ることができるのはおもしろいです。仕事を通して、気象が社会に役立てられていることを直接感じられて、とてもやりがいを感じます。また、業務のなかで、大学で学んだ気象学や気候学、データ解析《かいせき》の知識をいかしながら、さらに新しい経験を重ねていけることもやりがいの一つです。

Q3 なぜこの仕事に就《つ》いたのですか?

幼少時代から両親と海や山、川など自然の豊かな場所に行くことが多く、そこで環境《かんきょう》問題についての話を聞き、自然科学に興味をもち始めました。自然科学を学べる大学に進学し、2年生のときに参加した気象観測の実習をきっかけに、気候学を専攻《せんこう》することに。研究のために体系的に気象学を学び直す必要があったので、気象予報士試験にも挑戦《ちょうせん》。大学院在学中に試験に合格、資格を取得しました。気象会社に就職したのは、学んできたことをいかし、気象という分野から社会に貢献《こうけん》したいと考えたからです。

気象の影響《えいきょう》を無視して商品を生産すると、どうなる?

アイスクリームを例に考えてみましょう。アイスクリームは気温が高くなると売れやすく、年間で見ると冬より夏のほうが販売量《はんばいりょう》は多くなります。しかし、年によって気温の傾向《けいこう》は変わります。これを考慮《こうりょ》せずに、毎年同じ量を生産すれば、暑い夏は品切れ、冷夏には在庫が余るということになりかねません。生産量を適切に調整するには、気象要素をふまえた需要《じゅよう》予測の情報が重要なのです。

INTERVIEW 2

海洋気象の予報を行う気象予報士

唐澤《からさわ》 敏哉《としや》さん

株式会社サーフレジェンド
気象予報士、防災士

午後からは、
低気圧の影響《えいきょう》で
風が強まりそうだ

早朝から、予想天気図など最新の気象データを分析《ぶんせき》して、風や波を予測。予報を作成します。

唐澤《からさわ》さん自身、大学時代からサーフィンとスノーボードを愛好しています。

休憩中《きゅうけいちゅう》には、オフィスに置いてあるサーフボードを持って、会社近くの海岸へ。自ら実際にサーフィンをして、風や波のようすを体感しています。

Q1 どんな仕事をしているのですか?

海洋気象*に特化した民間気象会社で、気象予報士として予測にたずさわっています。特に、マリンスポーツ*を趣味《しゅみ》としている人たちに予報を提供しています。具体的には、サーファー向けの波の予報や、つり、ヨット、ボートをする人に向けた風や波の予報などです。サーフィンをはじめとする海のスポーツの競技大会や、遠泳大会、フェスなどのイベントにおいて、安全に開催《かいさい》できるかどうかを判断するための予報をすることもあります。また、多くの人が安全に海のスポーツを楽しめるように、気象の講習会を行うこともあります。

Q2 おもしろいところややりがいは?

自分自身がサーファーなので、よい波を予測して実際にその波に乗ったときは、最高の気持ちです。仕事としてだけではなく、ある意味で自分のために予測をしているのかもしれません。自分が予報を伝えたサーファーの人たちが、「唐澤《からさわ》予報士の予報通りによい波だったよ!」と言ってくれると、とてもうれしい気持ちになります。とても早い時間(午前3時半ごろ)に起きなければならず、決して楽な仕事ではないのですが、そんな経験をしたら、疲《つか》れが吹《ふ》き飛んでしまいます。

Q3 なぜこの仕事に就《つ》いたのですか?

小学校5年生のときに初めて天気図を書いたほど、もともと理科・科学が好きでした。大学では海洋学*を学びつつ、サーフィンやスノーボードを始めて、よい波、よい雪を予測するために、より天気に興味をもつようになりました。せっかく波や雪を予測できるようになったので、その経験と知識をいかして、気象予報士の資格取得を目指すことにしました。そして、無事に2回目の試験で合格。現在の勤務先である会社が、サーフィンをしている気象予報士を募集《ぼしゅう》しているということで、応募《おうぼ》して採用となりました。

海洋気象

海水の温度や流れ、潮の満ち引き、波、海上の風など、海に関する自然現象のこと。

マリンスポーツ

海上または海中で行うスポーツ。風や波といった自然の力を利用しながら行うものが多い。

海洋学

自然科学の一分野で、海で起こる自然現象や海にすむ生き物などを研究する学問。

INTERVIEW 3

農業を営む気象予報士

廣幡《ひろはた》 泰治《たいじ》さん
株式会社廣幡《ひろはた》農園 代表
気象予報士

農業用ドローンを用いてスマート農業*にも挑戦《ちょうせん》。ドローンでの農薬や肥料の散布は、風速が3m/s以下でないと難しいため、風の予測も重要です。

この地域特有の風で倒壊《とうかい》してしまったビニールハウス。知り合いのおばあさんが大切にぶどうを育てていましたが、風の強さを教えてあげられず、十分な対策ができていませんでした。

この先1か月は
雨が少ない日が
続きそうだ

気象予報のソフトを使って天気を予測することはもちろん、観測装置で気象データを記録して分析《ぶんせき》するなど、気象予報士としての技能を農業にいかしています。

Q1 どんな仕事をしているのですか?

ぶどう、豆類、かぶなどを栽培《さいばい》しています。農業には気象が大きく影響《えいきょう》するため、毎日、天気図とにらめっこです。種をまくときに、土の水分量が適切でないと、作物は育ちません。土の状態がよくなるには1週間程度かかるので、2週間からひと月くらい先までの天気を予測し、種まきの時機を見きわめます。また、台風は農業の大敵です。赤道近くの海で発生した台風は、10日以上かけて日本に接近します。どんな被害《ひがい》の可能性があるか、まだ確かなことがわからない1週間前から、天気の変化に注目しながら台風対策を始めます。

Q2 おもしろいところややりがいは?

気象予報士として未来の天気を予測し、それがばっちり当たって、作物がすくすく育つ。とてもやりがいのある、エキサイティングな仕事です。私はぶどうを栽培《さいばい》するビニールハウスを所有していますが、ビニールハウスは風に弱く、風の強さによって対策が変わります。私の地域に吹《ふ》く広戸風《ひろとかぜ》*は、場所によって強さが大きくちがうため、自分のハウスのあたりでいつどれくらいの風が吹《ふ》くかというピンポイントの予測が必要です。地域の気象にくわしい気象予報士の腕《うで》の見せどころです。

Q3 なぜこの仕事に就《つ》いたのですか?

日本の農業が高齢化《こうれいか》するなか、なるべく若いうちに農業を引きついで、ふるさとに貢献《こうけん》したいと思っていました。そこで、50歳《さい》前に会社を早期退職し、農業を始めることにしたのです。農業を勉強するなかで、作物が気象の影響《えいきょう》をとても強く受けていることに気づき、気象の勉強も始めました。作物は、土と水(雨)と光(日照)と温度(気温)で育ちます。ほとんどが気象要素です。ベストなタイミングで種をまき、作物がよく育つようにするためには、気象予報の技術が絶対に必要と考え、気象予報士の資格を取得しました。

スマート農業

ロボット技術や情報通信技術(ICT)といった先端《せんたん》技術を活用して、作業の効率化や作物の品質向上などを可能にする、新たな農業のこと。

広戸風《ひろとかぜ》

岡山県北東部にある那岐山《なぎさん》の南側のごくせまい地域だけに吹《ふ》く強風。山形県の「清川《きよかわ》だし」、愛媛県の「やまじ風」とともに、日本三大局地風の一つで、昔から住宅や農地に大きな被害《ひがい》を与《あた》えている。

インタビュー編
いろいろな分野で活躍《かつやく》する気象予報士

INTERVIEW 4

航空会社で働く気象予報士

井上《いのうえ》 雄貴《ゆうき》さん
ANAエアポートサービス株式会社
オペレーションマネジメント部
気象予報士

北陸は
まとまった雪雲が
流入して
いるな…

フライトの目的地や飛行経路上の気象状況《じょうきょう》は、安全な運航のために欠かせない情報。最新の気象データをチェックして情報を収集します。

先行機は
CB(積乱雲)の東側に
デビエーション
しています

飛行機が積乱雲に突《とつ》入《にゅう》してしまうと、大きなゆれをともないます。飛行経路上に、予測しなかった積乱雲を発見した場合は、無線などで直ちにパイロットに連絡《れんらく》。回避《かいひ》するよううながします。

Q1 どんな仕事をしているのですか？

羽田空港内にあるオフィスで、パイロットへの情報提供や関係部門との調整を行う運航支援《しえん》業務をおもに担当しています。出発前のパイロットには、目的地の気象状況《じょうきょう》や今後の予想、上空のゆれといった、フライトに必要な情報を提供します。強いゆれが報告された場合や、飛行経路上に積乱雲が発達している場合などは、飛行中の便に情報を伝え、高度変更《へんこう》やデビエーション*をアドバイスします。飛行機の不具合発生時や乗客への対応が必要な場合などは、パイロットから連絡《れんらく》を受け、整備部門・旅客《りょかく》部門とも連携《れんけい》して対応にあたります。

Q2 おもしろいところややりがいは？

飛行機はたくさんの部署のチームプレーで運航しています。急に目的地の天気が悪くなったり、飛行機に不具合が発生したりと、毎日さまざまなことが発生するなかで、多くの部署と連携《れんけい》し、安全かつスムーズに飛行機を飛ばすのが、この仕事のおもしろいところです。羽田空港周辺で雷《かみなり》が観測されているなど、悪天候時には、飛行機が安全に離着陸《りちゃくりく》できるようパイロットに情報を提供しますが、そんなとき、フライト後にパイロットから「さっきの情報ありがとう」などと言われると、改めてやりがいを感じます。

Q3 なぜこの仕事に就《つ》いたのですか？

もともとはパイロットにあこがれて航空業界を志しました。残念ながらパイロットとしての採用試験には合格できなかったのですが、それでも空にかかわる仕事がしたくて、現在の会社に就職しました。仕事を行ううえで気象の知識は必要不可欠なのですが、運航管理者技能検定*を受験する際に、より深く気象の勉強をする必要があったため、これを機に気象を自らの強みにしたいと考え、気象予報士の資格取得を決意。現在は、気象予報士の資格をいかし、飛行機の安全で快適な運航を地上から支えたいという思いで仕事をしています。

デビエーション

悪天候をさけるために、決められた飛行経路から外れて飛ぶこと。ほかの飛行機と接近しすぎたりしないよう、デビエーションは航空管制官に許可を得て行う。

運航管理者技能検定

飛行計画の作成、運航状況《じょうきょう》の監《かん》視《し》やパイロットへの支援《しえん》を行う「運航管理者（ディスパッチャー）」という職種に就《つ》くために、合格しなければならない国家試験。試験では気象に関する知識も問われる。

INTERVIEW 5

損害保険会社で働く気象予報士

野村《のむら》 悠介《ゆうすけ》さん

三井住友海上火災保険株式会社
再保険部 プロパティリスク出再チーム 主任
気象予報士

気象災害に
備えた
再保険政策を
考えよう

社内に設けられた共有のワーキングスペースでデスクワーク。再保険会社はほとんどが海外の会社なので、英語でメールのやりとりをしています。

仕事で海外に行く機会も多くあります。商談でも英語は必《ひっ》須《す》です。

近年、気象災害も
増えており、再保険は

再保険についての社内勉強会の講師を務める機会もあります。再保険のしくみや、損害保険会社がかかえるさまざまなリスクについて説明します。

Q1 どんな仕事をしているのですか?

損害保険会社に勤務し、契約者《けいやくしゃ》に対して安定的に保険金支払《しはら》いができるようにするための「再保険」*というしくみに関する仕事をしています。具体的には、再保険会社と呼ばれる会社と契約《けいやく》を結ぶことで、大規模な事故などが発生した際に損害保険会社(自社)が再保険会社からお金を受けとれるようなしくみをつくっています。どのような再保険を活用するのが最適かを検討するには、事故のほかにも、台風、豪雨《ごうう》、地震《じしん》など、多様なリスクについて考える必要があります。気象災害のリスクを考える場合に気象予報士の知識がいきてきます。

Q2 おもしろいところややりがいは?

再保険に関する仕事では、どんなリスクがどれくらいの確率で起こりうるのかというリスク評価が重要です。それをふまえて、どのような再保険を活用するのかを考えることはおもしろく、非常にやりがいがあります。再保険は、会社の経営を支えているといっても過言ではなく、自らの役割の重要さを感じます。例えば、2018年度、2019年度の気象災害においては、数千億円規模の再保険金(損害保険会社が再保険会社から受けとるお金)を受領。契約者《けいやくしゃ》への安定的な保険金支払《しはら》いに貢献《こうけん》しました。

Q3 なぜこの仕事に就《つ》いたのですか?

現在の会社に入社したのは、さまざまな企業《きぎょう》の挑戦《ちょうせん》を支えるという損害保険会社の使命に共感したためです。私が入社した2018年以降、日本は数多くの台風災害や豪雨《ごうう》災害にみまわれました。これらの災害を受け、私が勤務する損害保険会社は、契約者《けいやくしゃ》への保険金支払《しはら》いによって復興を手助けしました。同時に、所属先の部署では、再保険会社から多額の再保険金を受けとりました。こうした業務経験から、そもそもなぜこのような気象災害が発生するのかに興味をもち、気象の勉強を始めたのが、気象予報士資格取得のきっかけです。

「再保険」はなぜ必要?

損害保険会社は、契約者《けいやくしゃ》から保険料を受けとり、万一事故が起きた際に契約者《けいやくしゃ》に保険金を支払《しはら》います。しかし、想定外の大規模な事故や、台風災害、豪雨《ごうう》災害などが起きると、一度にたくさんの保険金を支払《しはら》う必要が生じます。すると、資金不足で十分な保険金が支払《しはら》えなくなってしまう可能性があります。損害保険会社は、そのような事態に備えて再保険を活用し、保険金を確実に支払《しはら》えるように準備しているのです。

INTERVIEW 6

フリーライターとして働く気象予報士

今井《いまい》 明子《あきこ》さん

気象予報士、サイエンスライター

仕事のほとんどは原稿執筆《げんこうしっぴつ》です。自宅でパソコンを使って文章を書いています。

これまでに出した気象に関する著書など。

この装置で再現
しています

気象科学館の解説員（左）や、防災や気象に関する講座の講師の仕事もしています。下の写真は一般《いっぱん》社団法人日本気象予報士会サニーエンジェルスでの講座の風景。親子向けのお天気実験教室を行っています。

写真提供：一般社団法人日本気象予報士会サニーエンジェルス

Q1 どんな仕事をしているのですか?

気象をはじめ、科学に関する文章を書くことを専門とするサイエンスライターです。出版社などから依頼《いらい》を受けて、文章を書いています。本を1冊書くこともあれば、雑誌の記事や、インターネット上の記事を書くこともあります。専門家に取材をしたり、本や論文などの資料を読んでかみくだいて解説したりして、原《げん》稿《こう》を書いています。書いた原稿《げんこう》は編集者に提出して、おかしなところやわかりにくいところを指摘《してき》してもらい、修正を加えます。これをくり返して、原稿《げんこう》が完成。それが本や雑誌に載《の》ったり、インターネット上で公開されたりします。

Q2 おもしろいところややりがいは?

原稿《げんこう》を書くために、取材をしたり資料を読んだりすると、知識が自分のなかに蓄積《ちくせき》されます。その知識は、自分の次の仕事に役立つばかりでなく、ときにはテレビやラジオなどを通して多くの人の役に立つ場合もあります。気象予報士という資格をもっていることもあり、「専門家としてコメントしてください」といわれることがあるからです。そういう経験も楽しく、やりがいを感じます。また、ライターの仕事は、会いたいと思った人に取材を申しこめば会えるというところもおもしろいです。

Q3 なぜこの仕事に就《つ》いたのですか?

もともとは、書籍《しょせき》などの編集をする会社に勤務して長年仕事をしてきました。その後、フリーライターとして独立することを決めましたが、仕事を得るためには、対外的に得意分野を示す必要があります。そこで、中学生のころから気になっていた気象予報士の資格を取得することにしたのです。資格取得後、有名な科学雑誌の記事を書くチャンスを得たことをきっかけに、継続的《けいぞくてき》に仕事をもらうようになり、サイエンスライターと胸を張って名乗れるようになりました。気象に関する著書も出し、今では気象の分野を中心に執筆《しっぴつ》活動を行っています。

フリーランスで天気予報の仕事はできないの?

気象予報士なら必ず天気予報ができると思われがちですが、気象予報士であっても天気予報を勝手に行うのは違法《いほう》です。フリーランスで予報業務を行いたければ、個人で気象庁長官の許可を受け、予報業務許可事業者(66ページ)になる必要があります。個人で許可をとっている人もいないわけではありませんが、さまざまな条件をクリアしなければならず、簡単にできることではありません。

国の気象業務を担当する「気象庁」

気象をはじめとする自然現象を監視《かんし》・予測。防災気象情報を提供し、国民を災害から守ります

気象庁は、国土交通省に置かれている行政機関です。国の防災関係機関の一つとして、「気象・海洋」や「地震《じしん》・火山」などの自然現象を監《かん》視《し》・予測し、国民の命や財産を災害から守るために、さまざまな防災気象情報を提供しています。災害発生時には、応急対策を行うため、国や地方自治体などの防災関係機関へ情報を提供します。

私たちの暮らしに身近な天気予報などを発表しているのは、気象庁本庁にある大気海洋部の予報課という部署です。この部署では、「気象・海洋」などの自然現象を監視《かんし》・予測し、防災気象情報を提供しています。

天気予報は、許可を受けた民間の会社（予報業務許可事業者）も行うことができますが、災害発生のおそれを伝える注意報・警報、土砂《どしゃ》災害警戒《けいかい》情報など、命にかかわるような情報については、気象庁が情報をまとめ、責任をもって発表しています。これらの警報等のほか、台風情報などの発表も行っています。

気象庁では、全国5か所の管区気象台と沖縄気象台で、広域的な観測・監視《かんし》や情報提供などを行っています。さらに、各道府県には地方気象台を置き、きめ細かい情報発表・提供、解説を行っています。おもな空港には、航空機の安全運航のため、航空地方気象台などを置いています。また、気象業務を支えるための各種施設《しせつ》も設けています。

●気象庁の組織（2022年4月1日現在）

- 気象庁長官
  - 次長
  - 気象防災監《かん》
  - 内部部局（本庁）
    - 総務部
    - 情報基盤《きばん》部
    - 大気海洋部
    - 地震《じしん》火山部
  - 地方支分部局
    - 管区気象台・沖縄気象台
      - 地方気象台
      - 測候所
      - 航空地方気象台
      - 航空測候所
  - 施設《しせつ》等機関
    - 気象研究所
    - 気象衛星センター
    - 高層気象台
    - 地磁気観測所
    - 気象大学校

※気象庁長官が気象庁のトップで、次長、気象防災監《かん》はそれを補佐する役職。

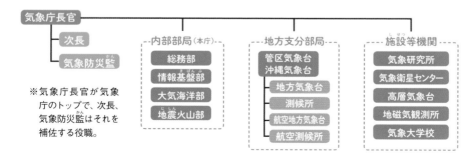

INTERVIEW

大気海洋部予報課で働く予報官

近藤《こんどう》 智子《ともこ》さん

気象庁 大気海洋部 予報課
気象監視《かんし》・警報センター

Q1 どんな仕事をしているのですか?

毎日の天気予報や、注意報・警報の発表を行っています。24時間体制で仕事にあたる必要があるため、勤務は日勤と夜勤があります。天気予報は、5時、11時、17時の一日3回発表しています。天気予報の内容は、地方気象台の予報官や、関東甲信《こうしん》地方をとりまとめている地方中枢《ちゅうすう》予報官といっしょに、さまざまな観測データやスーパーコンピュータからの予想資料をもとに、これから先の天気や気象状況《じょうきょう》を予想して作成します。また、悪天となり、災害が発生するおそれのあるときには、適時適切に注意報や警報の発表を行っています。

Q2 おもしろいところややりがいは?

天気予報の発表を行うなかで、同じような気圧配置のときでも天気が異なることがあります。くわしく見てみると、風向が少しちがうだけで、晴れる日もあればくもりの日もあります。このように、わずかなちがいで天気が異なることに、おもしろさを感じています。また、さまざまな防災気象情報の発表は、災害が起こるおそれが出てきた段階から行っていますが、この情報は、国民の命にかかわる情報でもあります。発信作業は緊張《きんちょう》しますが、情報が避難《ひなん》行動をうながし、人びとの役に立っていると思うと、とてもやりがいを感じます。

注意報の発表作業のようす。とても重要な情報なので、発表する前に上司である予報官といっしょにしっかりとチェックを行います。

現在の天気のようすや、スーパーコンピュータで計算したさまざまな予想資料をもとに、天気予報をつくっています。

考えた予報の流れを、ほかの予報官に解説。天気が急変したときなどは、必要に応じて地方中枢《ちゅうすう》予報官や、近隣《きんりん》の県の予報担当にも知らせます。

もっと！ 教えて！ 気象予報士さん

Q1 気象予報士になってよかったなと思うことを教えて！

A 気象に対する理解が深まり、毎日の空がとてもいとおしく思えるようになりました。以前は、ただ「晴れ」「くもり」「雨」と目に見えることだけしかわかりませんでしたが、気象予報士になってからは、その日その日でさまざまな「晴れ」「くもり」「雨」があることを知りました。どんな「晴れ」「くもり」「雨」があるのかは、気象予報士になって味わってみてほしいです。（20代・女性）

A 日常生活では、きょうはかさが必要か、上着がいるか、週末の屋外の予定をキャンセルすべきかなど、天気で判断しなければいけない局面がたくさんあります。「台風が来そうだから明日は外出しないほうがいいか」「雪が積もりそうだから冬タイヤを着用すべきか」など、命にかかわる判断をせまられることもあります。気象予報士になって、そのような判断が精度よくできるようになりました。（40代・女性）

Q2 気象予報士の仕事で、大変なこと、苦労したことを教えて！

A もし、自分の出した予報が外れてしまった場合、何らかの被害《ひがい》にあう人が出る可能性もあるので、責任は重大です。予報の難しさは、気象現象の複雑さからきます。気象の世界には「バタフライ効果」という有名な言葉があります。遠いほかの国のどこかでちょうちょがはばたいたことで、自分のいる地域で暴風になる……。それほどささいなことで、気象は大きな変化をすることがあるという例えです。さまざまなことに目を配り、注意深く予測をすることが大切です。（50代・男性）

A 資格を取得する過程で、気象学への理解を深めることができましたが、その一方で、勉強するほどまだまだ知らないことがあると気づかされ、学問の奥深《おくぶか》さを感じます。気象予報士になったといっても、気象学の入門を勉強しただけに過ぎません。学ぶことは大変な面もありますが、得るべき知識がたくさんあることを忘れず、好奇心《こうきしん》をもって学び続けることが必要だと感じています。

（20代・女性）

Part 2

目指せ気象予報士！ どうやったらなれるの？

気象予報士になるには、どんなルートがあるの？

気象予報士試験に合格し、気象庁長官の登録を受けます

気象予報士は国家資格です。国家試験である気象予報士試験に合格し、気象庁長官の登録を受けると、気象予報士の資格を取得することができます。

気象予報士試験は、年齢《ねんれい》、性別、学歴、経験などを問わずだれでも受験することができます。そのため、10代で受験する人もいますが、実際に受験する人の多くは、20代以上です。

中学生や高校生の段階で、将来は気象の仕事に就《つ》きたいと決めているなら、気象学が学べる大学に進学するとよいでしょう。気象予報士試験に必要な知識とともに、気象予報士になったあとにも役立つ知識を学ぶことができます。また、大学とは少しちがいますが、気象庁で働く人材を育成する「気象大学校」という機関もあります（56〜57ページ）。

気象が学べる大学に進学しなくても、独学で知識を得たり、気象予報士試験対策の講座で勉強したりして、気象予報士試験合格を目指すことは可能です。

ただし、気象予報士の資格をとれば、それだけですぐに気象の仕事ができるというわけではありません。資格をいかして仕事をするには、民間気象会社など、気象関連の事業にとり組んでいる会社や組織に就職する必要があります。気象予報士の資格取得だけなら学歴は不問ですが、就職の際には、大学卒業の学歴が求められるケースが多いでしょう。

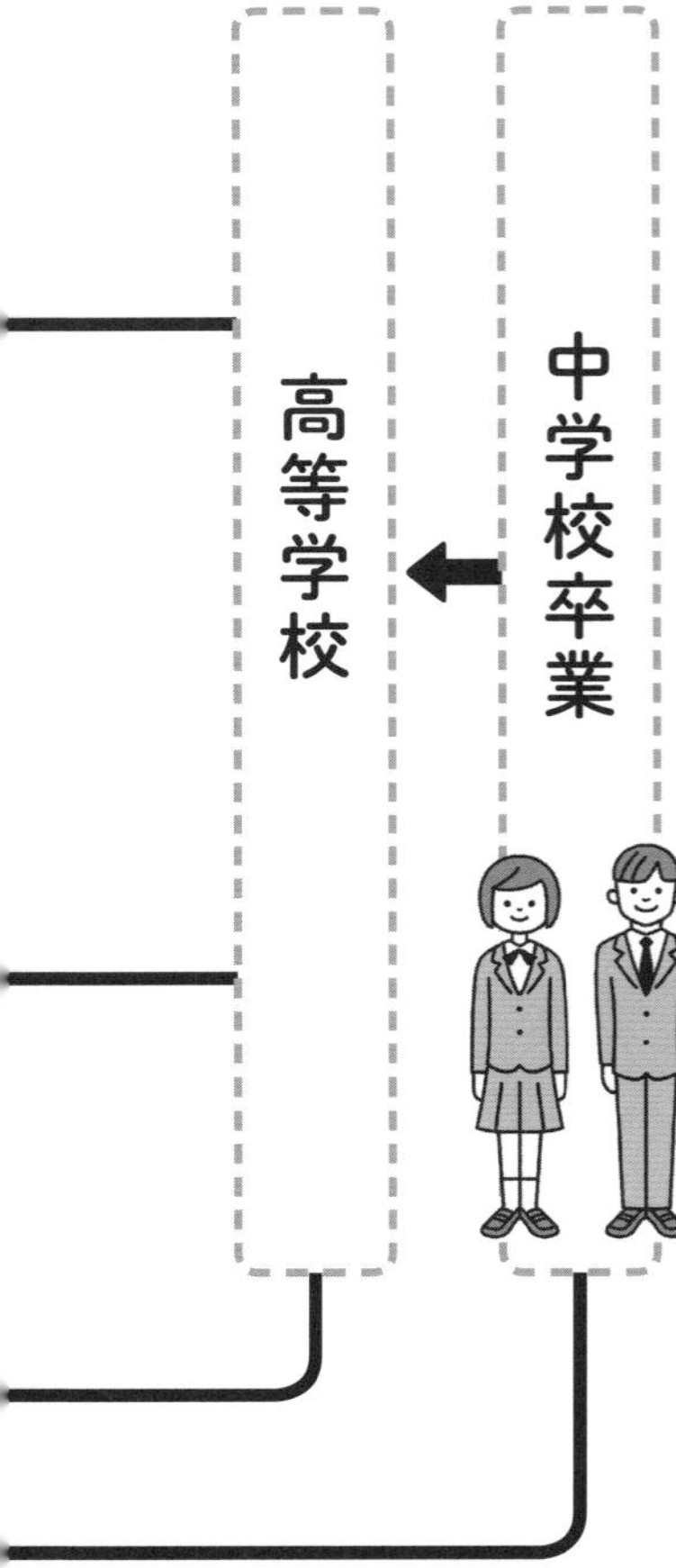

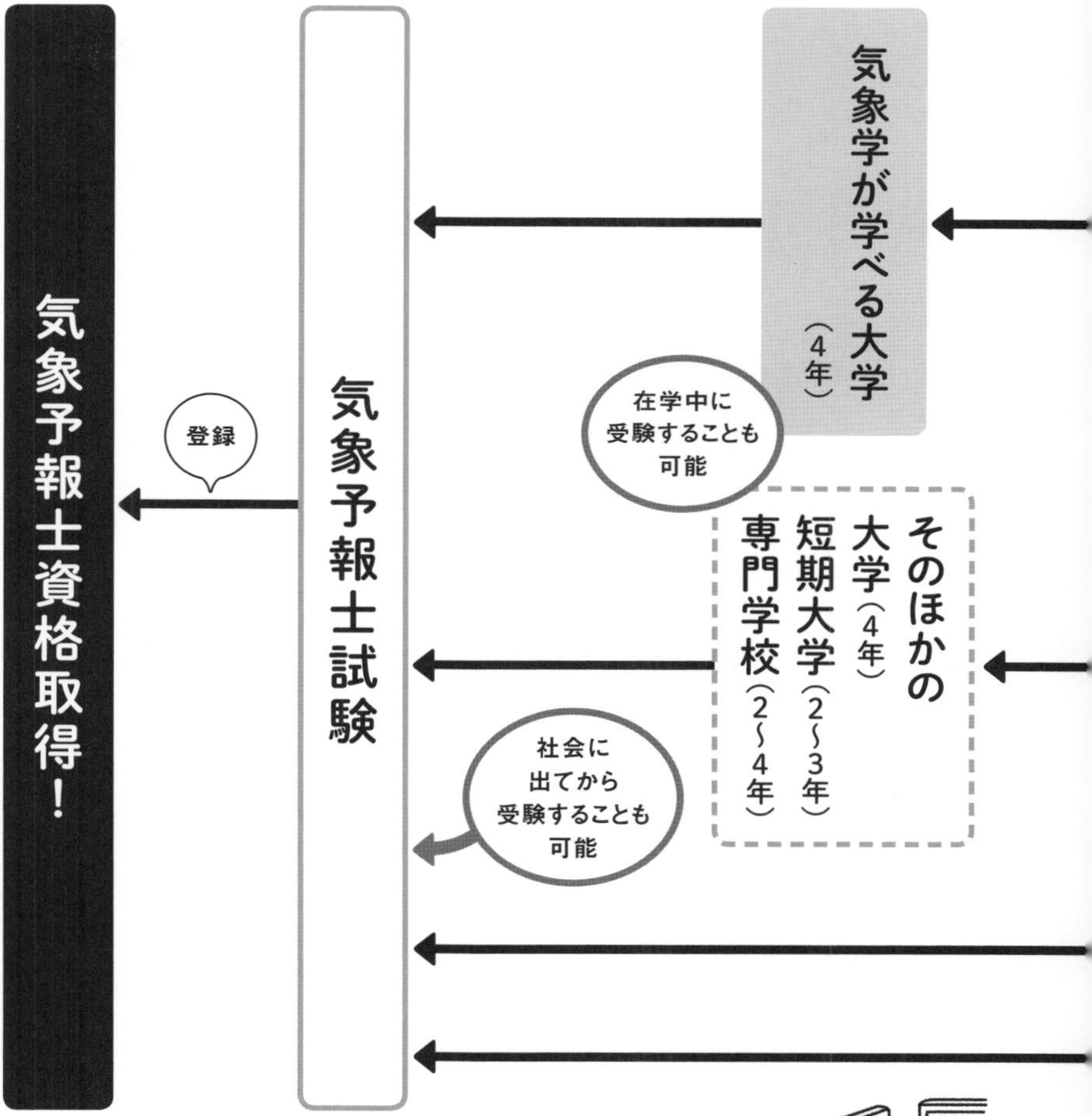

気象庁の予報官になるには？

気象大学校（56～57ページ）に入るほかに、大学や大学院を卒業後に気象庁の採用試験を受けるという道もあります。予報などの現場業務にたずさわりたい場合、試験区分は、総合職で「工学」「数理科学・物理・地球科学」「化学・生物・薬学」、一般職《いっぱんしょく》で「物理」「電気・電子・情報」「化学」となっています。理系の大学で、これらのいずれかの分野を修めることが必要です。

？ 気象について学ぶにはどうしたらいいの？

気象学を学べる学部・学科名の例

- **理学部**
  - 地球惑星《わくせい》科学科
  - 地球科学科
  - 地球環境《かんきょう》科学コース　など
- **理工学部**
  - 地球環境《かんきょう》防災学科
  - 環境《かんきょう》創造工学科
  - 環境《かんきょう》システム学科　など
- **環境《かんきょう》学部**
  - 地球環境《かんきょう》学科　など
- **農学部**
  - 生物資源環境《かんきょう》科学科　など
- **文学部**
  - 地理学科　など
- **教育学部**
  - 理科教育講座　など

気象学が学べる学部・学科は、国立大学に多くあります。気象学を専門とする教員がいて、気象系の研究室がある大学であれば、専門的に学ぶことができるでしょう。

専門的に学ぶなら、大学で気象学を専攻《せんこう》するのがおすすめ

気象について専門的に学びたければ、大学に進学するのが一般的《いっぱんてき》ですが、「気象学部」「気象学科」という名前の学部や学科をもつ大学はほぼありません。理学部、理工学部、環境《かんきょう》学部などに、「地球科学」「地球物理学」「環境《かんきょう》科学」といった学科があり、そこで気象学を専攻《せんこう》できる場合が多いようです。

また、一部ですが、文系の学部で気象学を学べる大学もあります。文学部で地理学を専攻《せんこう》したり、教育学部で理科の教員を目指すコースを専攻《せんこう》したりして、気象学を専門的に学べる場合があるのです。

気象学を本格的に勉強・研究できる大学は多くないので、よく調べて選びましょう。

気象について学ぶ方法

気象学やそのほかの知識を深く広く学べる

大学

大学は、資格の取得を目的としているわけではありませんが、気象学を深く学べます。そのほかの幅広《はばひろ》い知識もあわせて学ぶことができ、将来の仕事にも役立ちます。

就職の際にも、大学を卒業していたほうが選択肢《せんたくし》が多いでしょう。

多様な講座から自分に合うものを選んで勉強できる

気象予報士講座

期間は８か月〜１年くらいが多いですが、通信講座は時間数や回数で設定されているものもあります。科目別に受けられる講座や、短期集中講座などもあり、多様です。

費用をおさえられるが、自己管理が必要不可欠

独学

市販の参考書や問題集などを使って、完全に独学で資格を取得することも可能です。ただし、まったく知識がないところから始めて合格するまでは、時間がかかるでしょう。

気象予報士の資格取得を目的とする講座もあります

気象予報士を目指すにあたり、気象学の基礎《きそ》から応用までをしっかり学んでおきたいと考えるなら、大学進学がいちばんです。大学なら、施設《しせつ》や設備、カリキュラム、指導してくれる教員など、勉強するための環境《かんきょう》が充実《じゅうじつ》していますし、勉強や研究にかけられる時間も十分にあります。気象学の最新研究の情報なども入手しやすいでしょう。

ただし、気象予報士の資格取得だけが目的であれば、大学進学は必須《ひっす》ではありません。通信教育会社や民間気象会社が開講している気象予報士講座で学び、試験合格を目指すこともできます。気象予報士講座には、学校のように通って授業を受ける形式のほか、オンラインの通信講座もあります。試験対策のテキストも数多く出ているので、それらを利用して独学で合格する人もいます。このような方法も選択肢《せんたくし》の一つです。

？ 気象について学べる大学ってどんなところ？

4年間の学びの流れ

（京都産業大学理学部宇宙物理・気象学科の場合）

1年次

数学と物理学の基礎《きそ》を固める

宇宙や気象の物理現象を、理論立てて説明するために不可欠となる数学と物理学を修得していきます。

2年次

本格的な研究につなげる

専門領域に進む前に宇宙物理学と気象学の導入科目を学び、多面的な研究ができるように知見を得ます。

3年次

高度な専門性をつちかう

いよいよ実習と演習がスタート！　天文台での観測や、気象庁のデータの解析《かいせき》などを通して、学びを深めていきます。

4年次

卒業研究にとり組む

自分が興味をもつ分野の研究室に所属。最先端《さいせんたん》の研究にたずさわる教員の指導のもとで研究にとり組みます。

4年間で、気象学だけでなく、関連する専門科目も学びます

大学で気象学を専攻《せんこう》する場合、1年次や2年次では、数学、物理学などの基礎《きそ》知識を修得するための授業が組まれています。気象学とかかわりの深い地学の授業がある場合もあります。

学年が進むと気象に関する授業が増えてきますが、気象学だけを学ぶわけではありません。気象学は、「自然科学」や「地球科学」という学問の一つのカテゴリーとされています。気象学のほかにも、地震学《じしんがく》、火山学、海洋学、惑星《わくせい》科学、大気科学、地球物理学などのカテゴリーがあり、これらの科目のいくつかをあわせて学べるようカリキュラムが組まれている大学も多いようです。

学べる科目の例

（京都産業大学理学部宇宙物理・気象学科の場合）

振動《しんどう》と波

日常生活でもなじみ深い「振動《しんどう》・波動」を学びます。この授業では大学で学ぶ数学（フーリエ級数など）を積極的に利用して物理的な概念《がいねん》を理解していきます。

気象物理学

身近な大気中の現象を、基本的な物理法則を用いて理解します。例えば、大気構造の熱力学的な特徴《とくちょう》、大気循環《じゅんかん》の力学的基礎《きそ》などを学びます。

宇宙観測・解析《かいせき》実習

観測設備を備えた天文台で、天体観測を行います。観測計画立案、実行、取得データの解析《かいせき》という天体観測の一連の流れを体験し、データ処理の基礎《きそ》を学びます。

計算物理

計算機を利用して、物理学の研究の基礎《きそ》となる計算手法の理論的な背景を学びます。学んだ理論にもとづいて、計算プログラムも作成します。

実験室内での物理の実験（右）、屋外での気象観測（左）など、体験的に学ぶ授業も多数あります。

教室での講義のほかに、物理の実験や気象観測の演習も

大学では、教室での講義のほかに、実験や演習もあります。例えば、実験室内で気体の流れを調べる物理の実験や、屋外で実際に気象観測を行う演習などです。また、気象学ではコンピュータを利用したデータ解析《かいせき》が必須《ひっす》であるため、情報処理の演習もあります。

気象学は、「大気」を対象とした学問です。大気とは、惑星《わくせい》の表面をおおう気体のこと。大気の動きや温度変化によって、雨や雪、風といった気象現象が起こるのです。こうした気象現象について研究することはもちろん、気象現象が地球や人間の暮らしにもたらす影響《えいきょう》を研究するのも、気象学です。

気象学であつかう範囲《はんい》は幅広《はばひろ》いため、学べる内容は大学によって大きく異なります。進学先を決めるときには、具体的なカリキュラムを調べたり、学園祭などの機会を利用して実際に足を運んでみたりするとよいでしょう。

写真提供・取材協力：京都産業大学理学部宇宙物理・気象学科

気象大学校ってどんなところ？

気象大学校の特徴《とくちょう》

受験資格

その年に高等学校を卒業する者、または高等専門学校の3年次を修了《しゅうりょう》する者。卒業後または修了後《しゅうりょうご》、2年以内までは受験可能。

試験の方法

第1次試験は、基礎《きそ》能力試験、数学、物理、英語の学科試験、作文試験。第2次試験は、個別面接による人物試験と、身体検査。

学費

入学金や授業料は不要（ただし、教科書代は自己負担）。気象庁職員として毎月約15万円の給与《きゅうよ》と、諸手当が支給される。

学校生活

平日は朝から夕方まで授業。サークル活動や年間行事もある。寮《りょう》生活が基本で、規則正しい生活とチームワークを身につける。

卒業後

気象庁職員として、気象庁の本庁や地方気象台などに配属される。卒業時には、大学卒業者と同じ「学士」の学位を取得。

一日のスケジュール

8:30～12:00	授業
12:00～13:00	昼食、休憩《きゅうけい》
13:00～16:30	授業
16:30～17:15	課外授業

気象庁の職員となる人材を育てる教育・研究機関です

気象について学べる場として、大学のほかに気象大学校があります。気象大学校は気象庁の組織で、気象庁で専門的な仕事をになう人材を育てるための教育・研究機関です。

「大学校」という名前で4年制ですが、一般《いっぱん》的《てき》な大学とは大きく異なります。学生になった時点で気象庁職員として採用され、国家公務員となるのです。そのため、学費は不要で、給与《きゅうよ》が支給されます。寮《りょう》生活が基本ですが、希望すれば自宅や下宿などから通学することも可能です。

気象大学校の受験に必要な勉強は、ほかの理系大学の受験と同様です。ただし、定員は毎年15人程度と狭《せま》き門です。

気象大学校のカリキュラム

教育課程 教養、基礎《きそ》、専門の３系列で構成されています。
専門系列では気象業務に密接に関連した専門的な教育が行われています。

教養
人文科学、社会科学、外国語

基礎《きそ》
数学、物理学、情報科学、化学

専門
気象学、地震《じしん》火山学、地球環境《かんきょう》科学など

特修課程 気象庁業務への理解を深め、防災行政分野の知識を幅広《はばひろ》く修得します。

業務論、防災論、業務演習、観測実習、職場実習など

データ解析《かいせき》
気象庁での業務に不可欠なデータ解析《かいせき》の手法を学びます。

観測実習
校外に出張して、地上気象や火山の観測を行います。

職場実習
気象庁の本庁や地方気象台へ出向き、現場の業務を学びます。

気象に関する科目のほか、気象庁での業務に直結する授業も

気象大学校では、将来、気象庁職員として業務にあたるために必要な知識をすべて勉強します。気象学のほかに、地震《じしん》火山学、海洋学、地球環境《かんきょう》科学などです。１〜２年次は、これらの基礎《きそ》となる数学や物理学を重点的に学びます。ふつうの大学と同じように教養科目もあります。特修課程として、気象庁で働くための実践的《じっせんてき》な授業も用意されています。卒業研究では、研究や実務実績のある教官から直接指導を受け、第一線の研究にふれることができます。

卒業後は、気象庁職員として確実に気象の仕事に就《つ》けます。気象庁の本庁や地方気象台などに配属され、観測、予報、防災、調査、技術開発、研究といった業務にあたることになります。気象庁職員として働くので、気象予報士の資格は必要ありませんが、なかには個人的に勉強して資格をとる人もいます。

写真提供：気象大学校、国土交通省（広報誌「国土交通」107号 5, 6ページより転載）

? 気になる費用は、どのくらいかかるの？

学費の目安

学校の種類		年間の学費（授業料、施設《しせつ》費《ひ》など）
大学	国公立	約54万円
	私立	約100万～150万円

※このほかに、入学金も必要です。教科書代や学用品代などが別途《べっと》かかる場合もあります。

講座の費用の目安

受講形式	費用
通信	約6万～35万円
通学	約20万～35万円

奨学金《しょうがくきん》の種類

- 民間団体の奨学金《しょうがくきん》
- 大学の奨学金《しょうがくきん》
- 自治体の奨学金《しょうがくきん》

大学の学費は他学部と同程度。独学や講座の費用はよく検討を

気象を専門的に学べる大学の学費が、ほかの学部と大きくちがうことはありません。年間の学費は、国公立で約54万円、私立で100万～150万円程度です。各種奨学《しょうがく》金《きん》制度も利用できます。

気象予報士試験の受験資格に学歴の規定はないので、大学などに進学しなくても資格取得は可能です。独学で試験に合格すれば、学費などはかかりませんが、資格取得まで時間がかかるケースも多いので、必ずしも費用が安く済むとは言い切れないでしょう。

気象予報士講座にはさまざまなものがあり、費用も期間もまちまちです。内容をよく調べて選ぶ必要があります。

気象予報士試験は、どんな人が受験できるの？

気象予報士試験は、
年齢《ねんれい》や学歴に関係なく、
だれでも受験できる

年齢別《ねんれいべつ》に見た合格者の割合

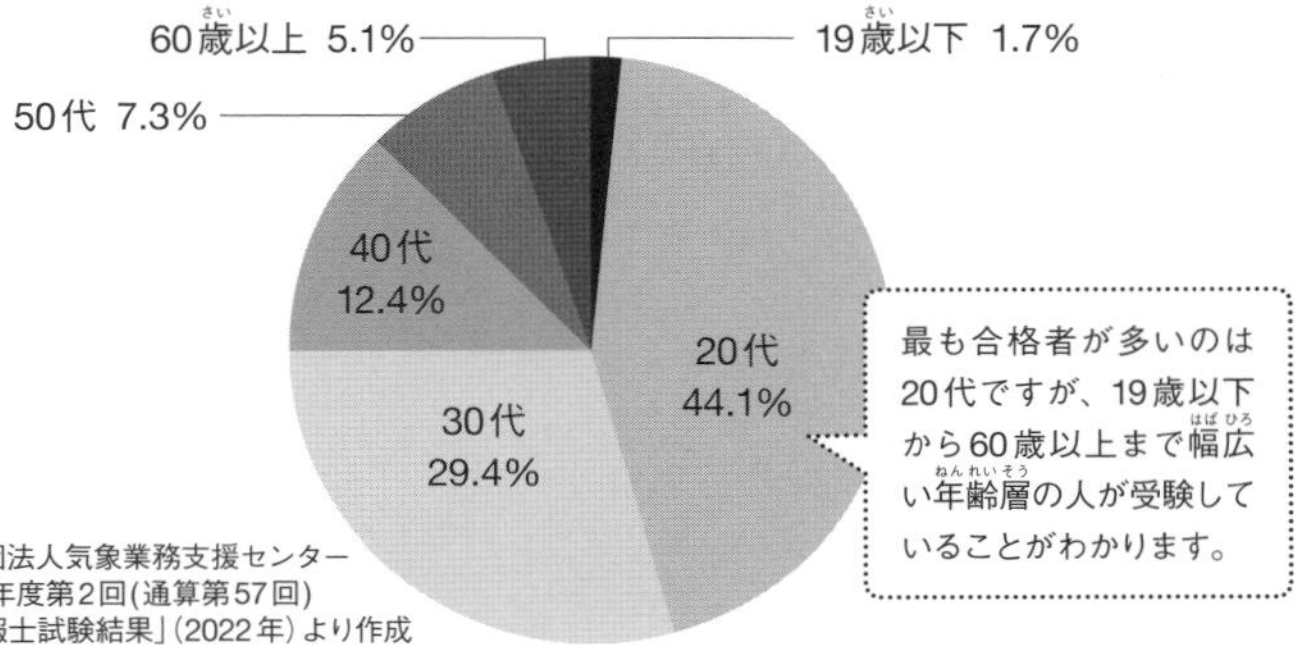
60歳《さい》以上 5.1%
19歳《さい》以下 1.7%
50代 7.3%
40代
12.4%
20代
44.1%
30代
29.4%
最も合格者が多いのは20代ですが、19歳以下から60歳以上まで幅広《はばひろ》い年齢層《ねんれいそう》の人が受験していることがわかります。

一般財団法人気象業務支援センター
「令和3年度第2回(通算第57回)
気象予報士試験結果」(2022年)より作成

年齢《ねんれい》や学歴による制限はなく だれでも受けることができます

気象予報士の試験は、年齢《ねんれい》、学歴、経験などによる制限はなく、だれでも受験することができます。小学生や中学生、高校生で気象予報士試験に挑戦《ちょうせん》する人もいて、最年少合格者は、11歳《さい》11か月で合格した小学6年生です（2022年3月現在）。年齢《ねんれい》の上限もないので、仕事を定年退職したあとで気象予報士を目指す人いります。

気象予報士試験には、学科試験と実技試験がありますが（60ページ）、規定の業務経歴がある人は、申請《しんせい》すれば学科試験の一部または全部が免除《めんじょ》されます。気象庁や防衛省で、予報業務や観測業務を一定期間以上行った経験のある人などがこれにあたります。

？ 気象予報士試験って難しいの？

気象予報士試験の内容

学科試験
選択肢《せんたくし》から「正しいもの」または「誤っているもの」を選んで解答する選択式《せんたくしき》。

【試験科目】

●予報業務に関する一般《いっぱん》知識
大気の構造、大気の熱力学、降水過程、大気における放射、大気の力学、気象現象、気候の変動、気象業務法その他の気象業務に関する法規

●予報業務に関する専門知識
観測の成果の利用、数値予報、短期予報・中期予報、長期予報、局地予報、短時間予報、気象災害、予想の精度の評価、気象の予想の応用

↓ 合格

実技試験
気象データなどを読みとり、出題内容に対して指定された形式で解答する記述式。

【試験科目】

●気象概況及《がいきょうおよ》びその変動の把握《はあく》
●局地的な気象の予報
●台風等緊急時《きんきゅうじ》における対応

↓ 合格

気象予報士の登録を申請《しんせい》

選択式《せんたくしき》の学科試験と記述式の実技試験があります

気象予報士の国家試験には、学科試験と実技試験があり、資格を取得するためには、その両方に合格する必要があります。

学科試験には、一般《いっぱん》知識、専門知識の2科目があり、いずれも示された選択肢《せんたくし》から正答を選ぶ選択式《せんたくしき》です。一般《いっぱん》知識では、気象学の基本である大気の構造や熱力学、気象現象、気象業務に関する法律や規則について出題されます。専門知識では、データを用いて予報を行うために必要な知識が問われます。

一方、実技試験は記述式です。天気図やその他の気象データなど、配布された参考資料を読みとり、出題内容に対して指定された形式で解答します。

気象予報士試験の合格者数と合格率

一般財団法人気象業務支援センター「気象予報士試験結果一覧」(2022年3月)より作成

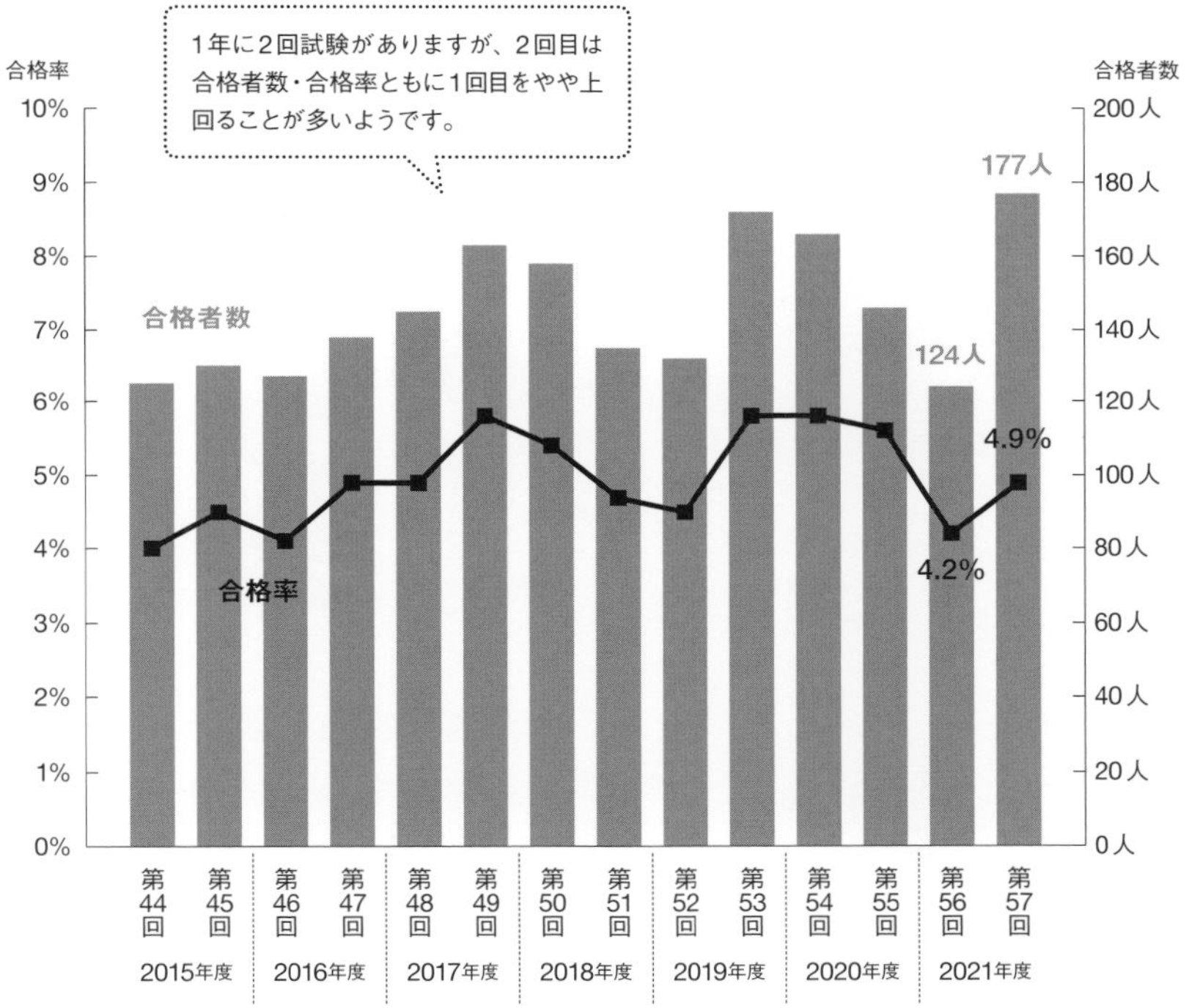

合格率はわずか4〜6%と、国家試験のなかでも難易度は高め

気象予報士試験は1年に2回実施《じっし》されており、学科試験と実技試験が同じ日の午前と午後に行われます。

1回の受験者数は、最も多い時期はおよそ5000人ほどでしたが、ここ数年は、毎回3000〜4000人くらいです。合格者数は150人前後なので、合格率は4〜6%と、超《ちょう》難関の試験といえます。

試験の合格基準は公表されています。学科試験は、一般《いっぱん》知識、専門知識ともに15問のうち11問以上が正解であれば合格です。実技試験については、満点の70%以上の得点がとれれば合格となります。

学科試験の片方あるいは両方に合格した場合、1年以内の試験では合格済みの科目の学科試験は免除《めんじょ》されます。つまり、残りの学科試験と実技試験に1年以内に合格すれば、資格を取得できるのです。

気象予報士に向いているのはどんな人？

向いている人の特徴《とくちょう》

自然が好きで探究心がある

気象予報士は、常に気象を観察し、考える仕事。天気の移り変わりなど、自然を観察するのが好きで、自然現象のしくみや原因を深く考える探究心がある人に向いているでしょう。

ものごとを説明するのが上手

気象予報士の仕事では、難しい気象情報を、一般《いっぱん》の人にもわかるように説明することが求められる場面もあります。やさしくかみくだいたり、身近なことに関連づけたりして、ものごとをわかりやすく伝える力が役に立ちます。

強い責任感と前向きな姿勢

気象情報は人の命にかかわることもある重要なもの。それをあつかう気象予報士には責任感が必要です。自然が相手の仕事なので、予報が外れるなどうまくいかないことも多くありますが、めげずにとり組む前向きさも大切です。

気象や自然に強い興味があり、深く考えようとする人

何よりもまず、気象全般《ぜんぱん》に興味があり、自然が好きであることがだいじです。ただ好きなだけにとどまらず、自然現象がなぜ起こるのか、そのしくみまで深く考えようとする人は、気象予報士に向いているといえます。

仕事上、気象現象や気象情報について、わかりやすく伝えることが必要なので、ものごとを説明する能力も大切です。

気象予報士は、気象情報という、人の命や財産を守るためにも重要なものをあつかうことができる資格。強い責任感をもって、論理的に分析《ぶんせき》や判断をすることが求められます。

気象予報の仕事では、数字に強い、地理に強いことも強みになるでしょう。

？ 中学校・高等学校でやっておくといいことはある？

いかせる科目

科目	いかせること
理科（物理、地学）	気象を学ぶための基礎《きそ》
数学	気象を予測するための計算
社会（地理）	国内の地形の把握《はあく》、地形による天気のちがいや特徴《とくちょう》
情報	コンピュータの活用、気象データの解析《かいせき》
国語	気象や天候を表現して伝える力
英語	海外の情報収集、英語でのコミュニケーション
美術	天気図の作成、資料作成時の情報デザイン

資格取得に必要な理数系科目や、天気予報と関係が深い地理

気象を学ぶ土台として、物理、地学、数学の基礎的《きそてき》な知識が必要です。気象予報士試験に合格するためにも、これらの科目をよく勉強しておくことをおすすめします。

また、天候と地形には深い関係があり、天気には地域によって特徴《とくちょう》があります。天気予報には地理の知識が非常に重要です。

気象データの解析《かいせき》には、コンピュータを用いるので、パソコンのあつかい方は身につけておくとよいでしょう。

気象情報をわかりやすく伝えるには、国語や英語、美術の勉強も役立ちますし、部活動やボランティアでコミュニケーション能力を養うことも大切です。

? 気象予報士って、どのくらいいるの？

気象予報士の登録者数

気象庁「気象業務はいま2021」（2021年）より

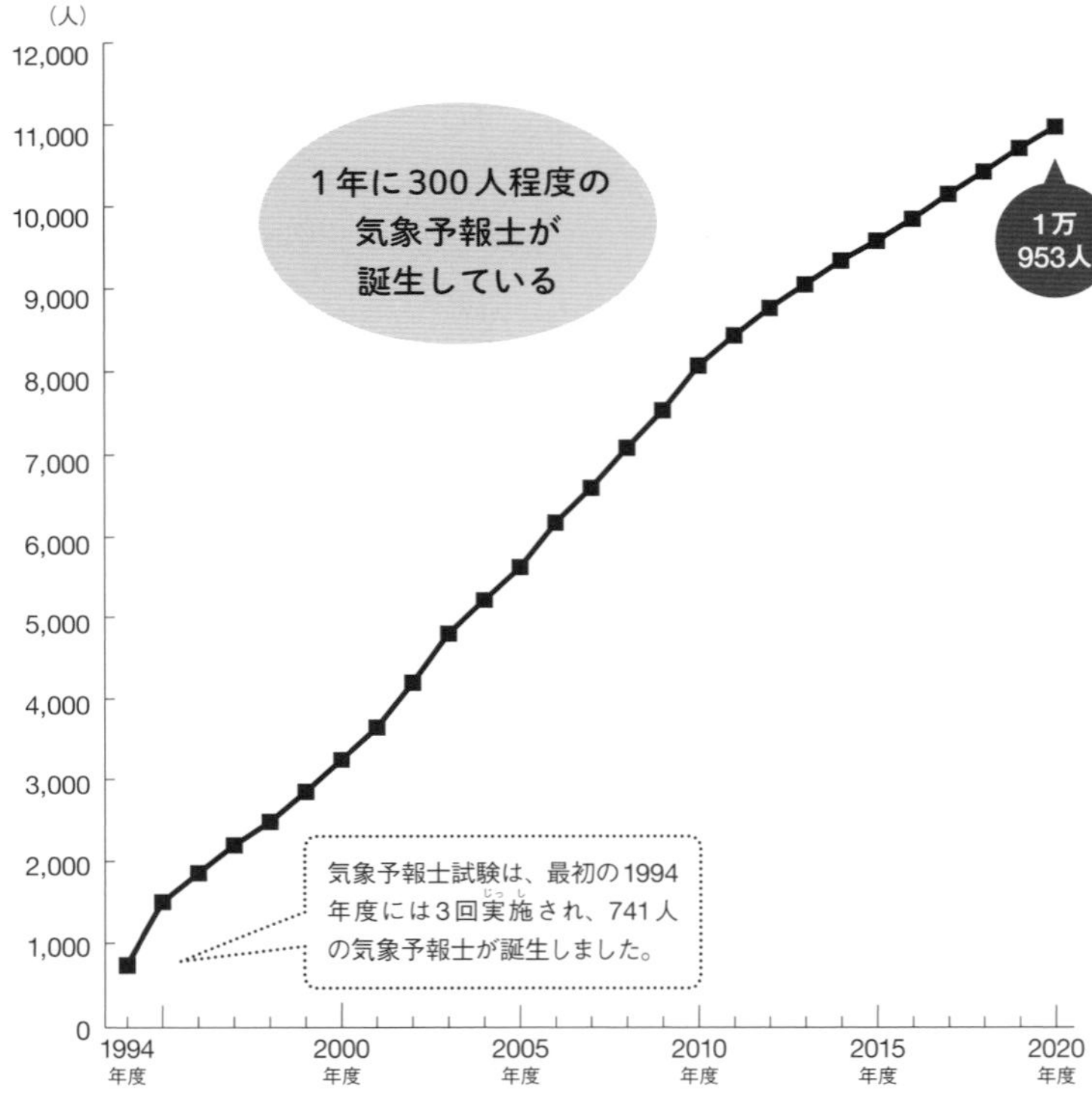

気象庁長官の登録を受けた気象予報士は、約1万1000人

気象予報士試験は、1994年に初めて行われました。初年度は試験が3回行われ、計1000人ほどが合格（登録者は741人）。それ以降は、年2回の試験で、毎年300〜400人前後が合格しています。気象予報士として登録されている人は、全国に約1万1000人います（2021年12月現在）。

これまでに気象予報士試験に合格した人の数を男女別に見ると、男性が約86％、女性が約14％と、男性のほうが圧倒的《あっとうてき》に多数をしめています。

年齢《ねんれい》は10代から70代以上までと幅広《はばひろ》いですが、50代が最も多く、次に多い40代とあわせると全体の約半分になります。

気象予報士の年齢別《ねんれいべつ》・男女別割合

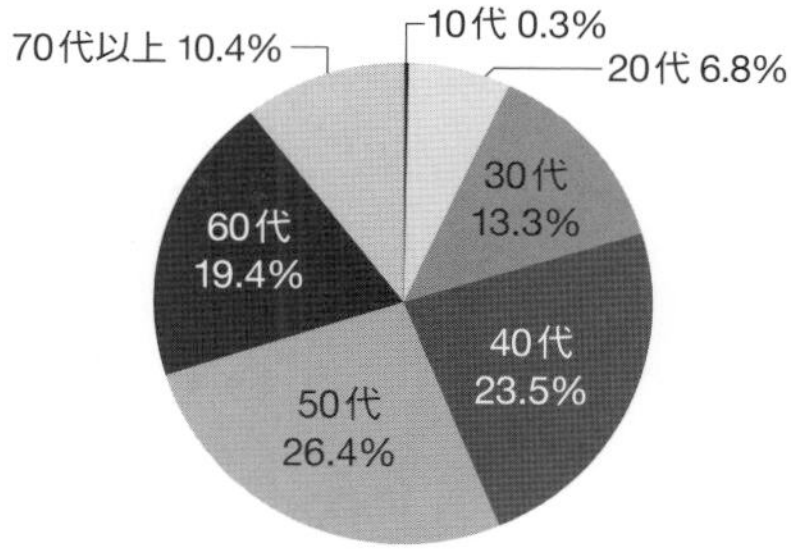

年齢別《ねんれいべつ》割合

気象庁「令和2年度 気象予報士の現況に関する調査」（2021年）より作成

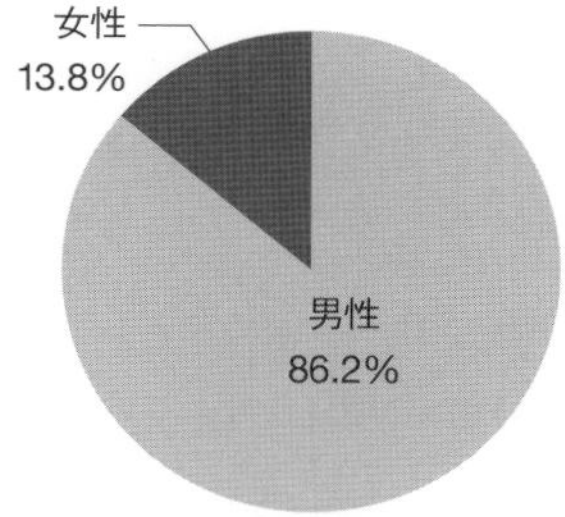

男女別割合

一般財団法人気象業務支援センター「令和3年度第2回（通算第57回）気象予報士試験結果」（2022年）より作成

気象予報士資格の活用状況《じょうきょう》

気象庁「令和2年度 気象予報士の現況に関する調査」（2021年）より作成

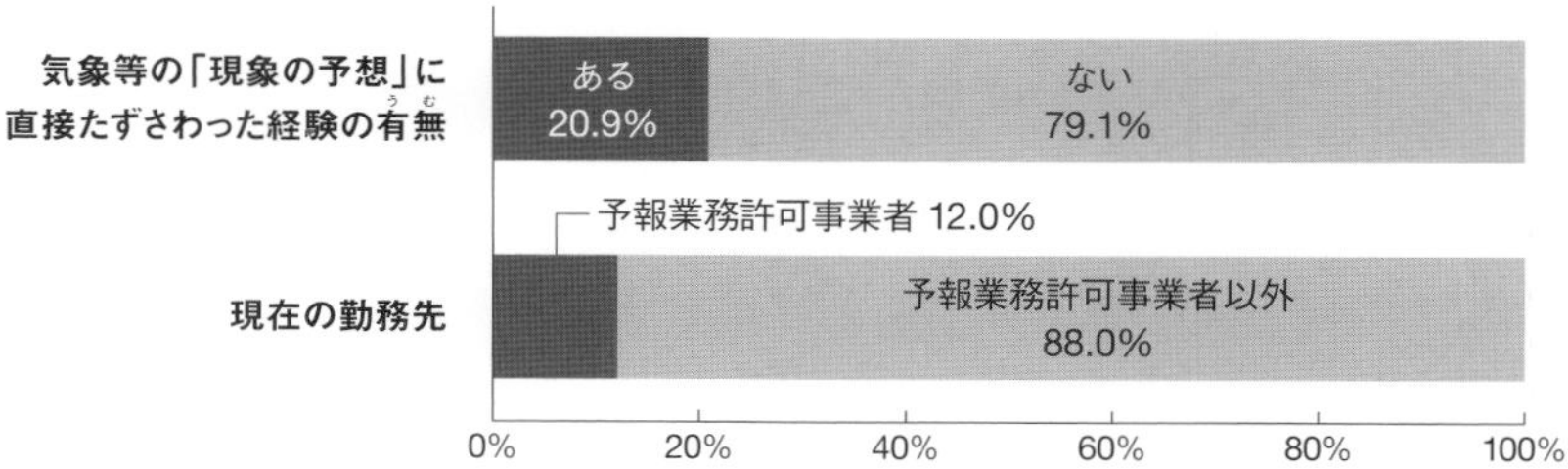

予報業務の経験がある人は、気象予報士の約2割

気象予報士の資格をもつ人が、必ずしも予報業務に就《つ》いているとは限りません。気象庁が気象予報士を対象に行ったアンケート調査（2020年）によると、気象等の「現象の予想」に直接たずさわった経験がある人の割合は、2割程度にとどまります。

「現象の予想」とは、観測データをもとに、時と場所を特定して、今後生じる自然現象の状況《じょうきょう》を科学的に予想することです。気象庁以外の民間気象会社などが気象の予報業務を行う場合、「現象の予想」は必ず気象予報士が行わなければならないと、法律によって決められています。

しかし、予報業務を行うことができる「予報業務許可事業者」（66ページ）の数はそれほど多くないため、気象予報士としての知識をいかして、「現象の予想」以外の仕事に就《つ》いている人が多いのです。

?

気象予報の仕事には許可が必要なの？

予報業務とは？

「予報」とは、「観測の成果に基《もと》づく現象の予想の発表」のことをいいます。また「業務」とは、「定時的または非定時的に反復・継続《けいぞく》して行われる行為《こうい》」のことです。

つまり、予報業務とは、気温や天気などの予想結果を、世の中に対して反復・継続《けいぞく》して発表することを指します。不定期に反復・継続《けいぞく》するものも、予報業務に該当《がいとう》します。

【予報業務許可の対象】

	対象になる	対象にならない
現象	大気の諸現象《しょげんしょう》 （天気、気温、降水など） 地震《じしん》　火山現象 津波《つなみ》　高潮	花粉 植物の開花予想
伝え方	●自ら作成した予報を、広く公表する（SNSなどでの発信もふくむ）	●自ら作成した予報を、所属している会社や家庭内で利用する ●気象庁などが出した予報をそのまま掲載《けいさい》する・伝える。またはそれを解説する

気象庁「予報業務を行うためのガイドブック」より引用・改変

気象予報を業務として行うには、気象庁長官の許可が必要

気象予報士の資格をとったからといって、それだけで気象予報の仕事をしてよいわけではありません。気象予報を業務として行うには、許可が必要です。

そもそも、1993年に気象業務法が改正されるまでは、広く一般《いっぱん》向けに気象予報を発表できるのは気象庁だけでした。この改正によって、民間の事業者も一般《いっぱん》向けの気象予報ができるようになったのです。

ただし、気象庁以外の団体や会社、個人が気象などの予報業務を行うには、気象庁長官の許可を受けなければなりません。その許可を受けた事業者のことを、予報業務許可事業者といいます。

予報業務の種類

気象・波浪《はろう》
気象と波浪《はろう》(波やうねり)について予報を行う。

地震動《じしんどう》
地震《じしん》による地面のゆれについて予報を行う。

高潮
高潮と、高潮による浸水《しんすい》の予報を行う。

火山現象
火山灰が降る範囲《はんい》や量など、火山現象の予報を行う。

津波《つなみ》
地震《じしん》にともなって発生する津波《つなみ》の予報を行う。

気象予報を行うための「気象・波浪《はろう》」の予報業務許可のほかにも種類があり、それぞれ個別に許可が必要です。

予報業務許可事業者(気象・波浪《はろう》)の数

国土交通省 交通政策審議会 第34回気象分科会配付資料(2022年)より引用・改変

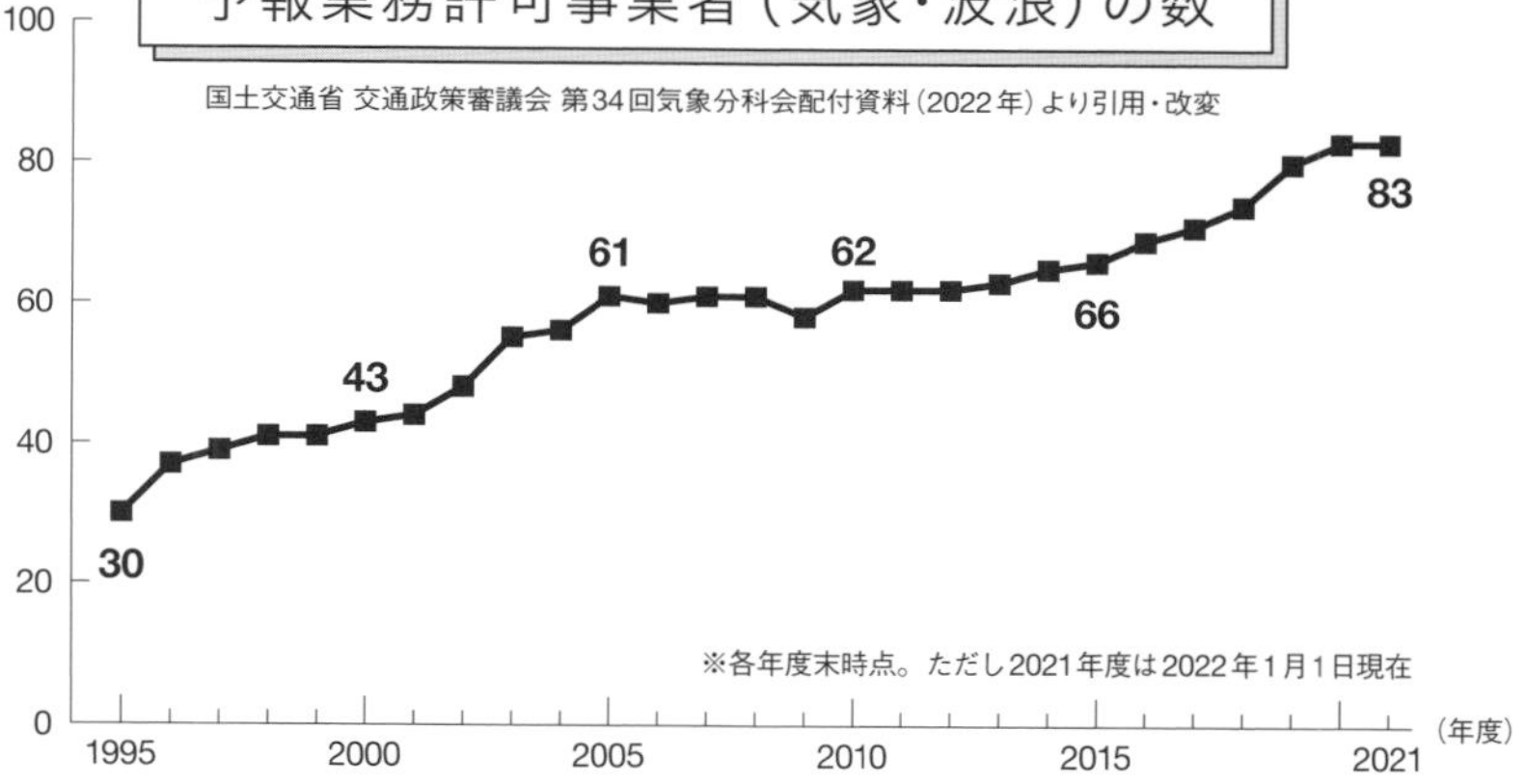

※各年度末時点。ただし2021年度は2022年1月1日現在

予報業務許可事業者には、必ず気象予報士がいます

一般《いっぱん》向けの気象予報が民間にも許可されるようになったとはいえ、知識のない人がいいかげんな予報を発表してしまうことがあれば、社会に混乱を引き起こしかねません。そこで、気象に関する高度なデータを適切に利用できる技術者を確保するために、気象予報士という国家資格がつくられました。

気象予報を行う事業者は、「現象の予想」(65ページ)を気象予報士に行わせなければならないと、気象業務法によって定められています。そのため、気象予報業務の許可を得るには、業務量に応じた人数の気象予報士を置く必要があります。

気象予報を行うことが認められている予報業務許可事業者は、2021年10月現在、全国に83あります。気象会社、放送局、研究機関のほかに、防衛省、地方自治体もふくまれます。個人で許可を得ている人もいます。

？ 気象予報士はどうキャリアアップしていくの？

気象予報士のキャリアステップ

START!

気象予報士資格取得！

↓

民間気象会社に就職

↓

気象や関連分野の技術・知識をみがく ＋ **気象予報などの業務経験を重ねる**

↓

- **より専門性の高い仕事にたずさわる**
- **防災の知識をいかして行政機関に転職**
- **独立して新規事業を立ち上げる**

など

気象予報士の資格を得てからも、技能を向上させる努力が必要

気象予報士の資格は、一度取得すれば生《しょう》涯《がい》有効で、更新《こうしん》手続きなどは不要です。しかし、経験を積まなければ正確な予報は難しいですし、気象に関する技術は日々進歩しているため、自分で知識や技術を更新《こうしん》していく必要があります。

気象業務支援《しえん》センター（10ページ）、日本気象予報士会、気象庁などは、気象技術に関する講習会を行っています。これらを受講するのも、技能をみがく一つの方法です。

日本気象予報士会は、気象予報士の技能の向上や、その知識をいかした社会貢献《こうけん》などを目的とする団体で、気象予報士の資格があれば、だれでも入会することができます。

気象予報士に関連する資格など

資格・制度	内容	活用できる仕事
防災士	防災に関する十分な意識と一定の知識・技能を修得したことを認証する、日本防災士機構による民間資格。	行政機関などにおける防災に関する業務
情報処理技術者試験	経済産業省によるITに関する国家試験。ITをあつかう人が共通して身につけておくべき基本的な知識を問う試験から、高度な知識・技能を問う試験まで、13の試験区分がある。	気象データの収集・分析、気象情報の提供、気象関係のプログラム作成やシステム設計
技術士	科学技術に関する高等の専門的応用能力を有する優《すぐ》れた技術者を認定《にんてい》する、文部科学省所管の国家資格。	建設業や、船や飛行機の運航にかかわる運輸業での仕事
気象予報士 CPD制度	講習会の受講や研究発表など、気象予報士としての技能を維持《いじ》・向上する努力を続け、基準を達成した人を、「気象予報士CPD認定者《にんていしゃ》」として日本気象予報士会が認定《にんてい》する制度。	より専門性の高い気象予報業務

気象以外の知識や技術で、仕事の幅《はば》や可能性が広がります

　気象の知識を深めることだけでなく、ほかの分野の知識や技術を身につけたり、資格を取得したりすることも、気象予報士としてのキャリアアップにつながるでしょう。

　例えば、情報処理に関する技術や資格は、気象の仕事にも役立ちます。気象データの収集や分析《ぶんせき》、気象情報の提供を行うには、コンピュータ技術が欠かせないからです。

　最近は、集中豪雨《ごうう》などの気象災害が増えていることを受けて、気象予報士に加えて、防災士の資格を取得する人も増えています。

　また、環境《かんきょう》、建設、流通など特定の業界の知識を深めれば、気象の知識をいかして顧客《こきゃく》の問題を解決する「気象コンサルタント」として活躍《かつやく》することもできるかもしれません。

　民間気象会社などで経験を重ねたのちに、独立してフリーランスで働いたり、起業したりする人もいます。

？ 収入はどのくらい？ 就職はしやすいの？

年収を比べてみると…

職種別平均収入

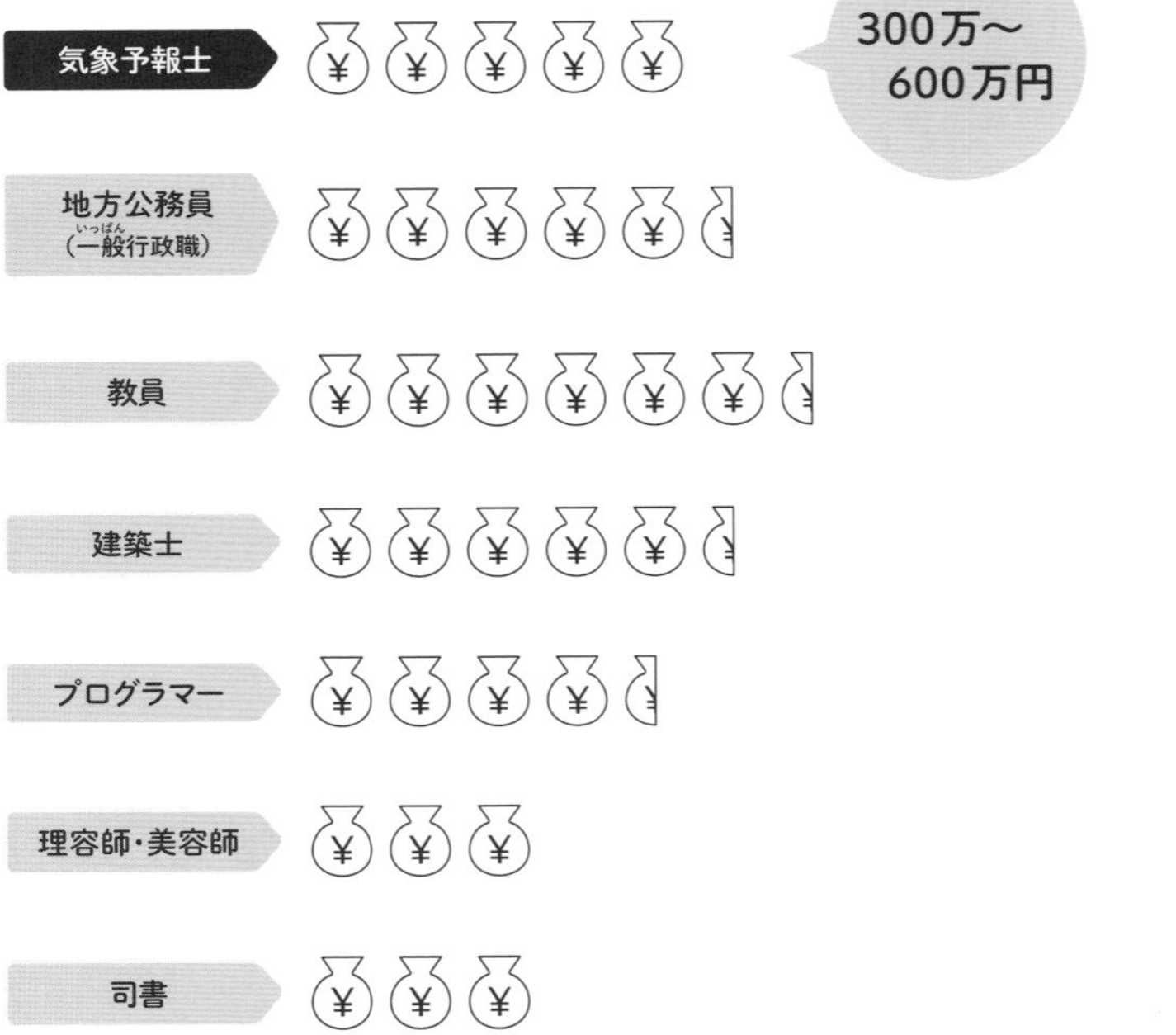

勤務先や就業形態、経験年数によってさまざま

気象予報士とひと口に言っても、勤務している会社や働き方が異なると、収入はまったくちがってきます。

例えば、気象庁の正規職員として働く場合は、公務員の給与《きゅうよ》の基準が適用され、平均年収は600万円程度です。一方、民間気象会社などに就職した場合は、一般企業《いっぱんきぎょう》の平均と同程度の300万～500万円といわれています。会社や団体に就職した場合は、一《いっ》般的《ぱんてき》に、勤務年数が長くなって経験値が上がるほど、給与《きゅうよ》は上がっていきます。

フリーランスで働く場合は、受注する仕事量や経歴、知名度などによって、収入が大きく変動します。

気象予報士資格をもつ人のおもな勤務先

気象庁「令和２年度 気象予報士の現況に関する調査」（2021年）をもとに作成

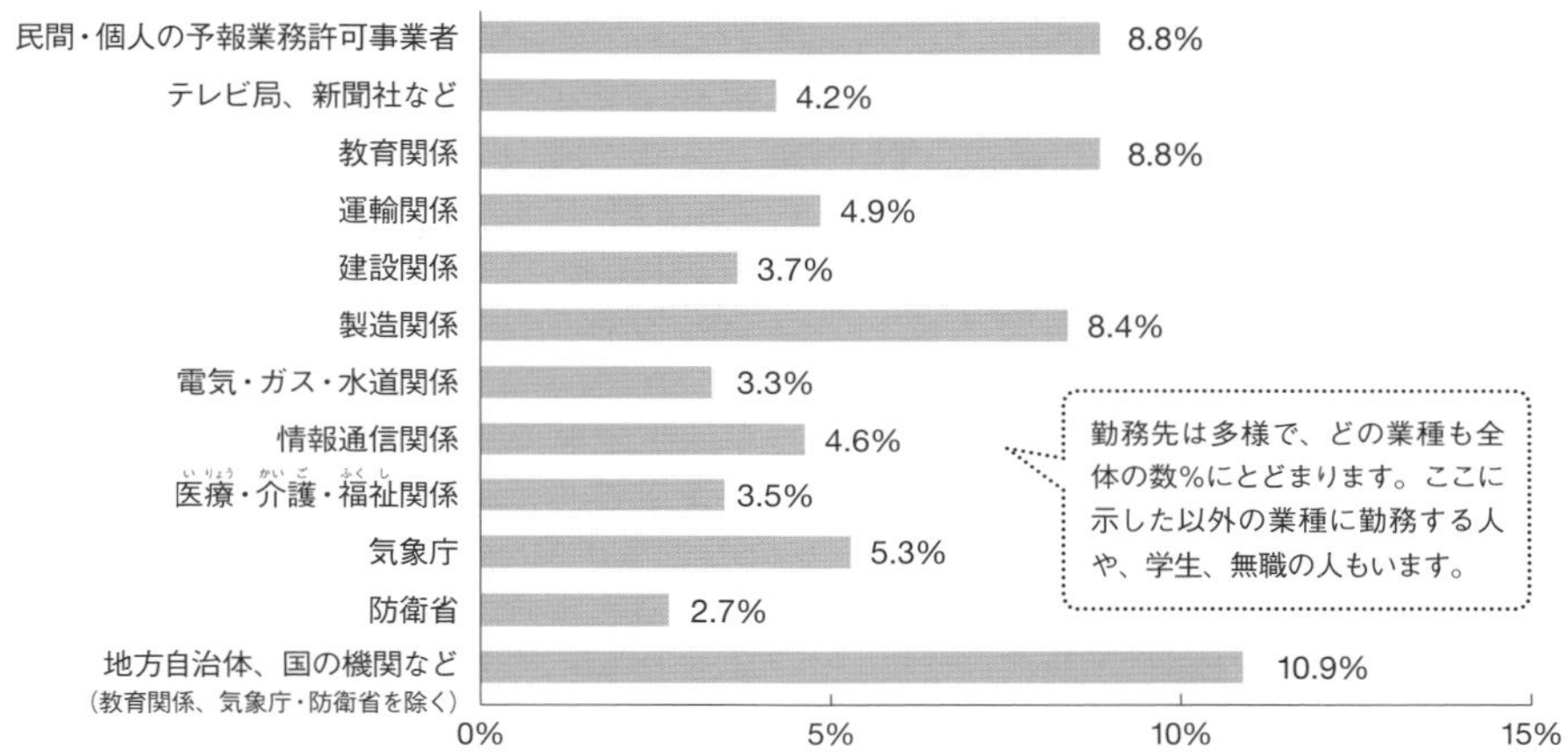

気象関連以外の就職先の例

教員

大学で教員免許《めんきょ》を取得すれば、理科の教員として働けます。地学の授業などで気象予報士の知識をいかせます。

運輸業

船や飛行機などの安全な運航に、気象予報士の知識が役立ちます。運航管理者（41ページ）という専門職もあります。

情報関連企業《きぎょう》

気象データの解析《かいせき》に使うコンピュータの知識をいかして、プログラマーやシステムエンジニアとして働けます。

気象業界以外にも、幅広《はばひろ》い分野で資格をいかせる可能性が

気象予報の重要性は年々増しており、気象予報士は今後も求められる資格でしょう。予報業務許可事業者の数も、ゆるやかにではありますが、増加が続いています（67ページ）。

代表的な就職先である民間気象会社は、定期的に求人があるとは限らず、求人数も多くはないため、就職するのは簡単ではありません。しかし、気象予報士のニーズは、ほかにもさまざまな分野で高まっています。

例えば、地方自治体では、防災意識の高まりから、気象現象を正しく分析《ぶんせき》できる人材が求められています。農業や水産業は気象との関連が深いですし、食品やアパレルなどの製造業では売れ行きが天候に左右されます。流通、運送、観光、建設、交通といった業界も、業務に天候が関係します。

視野を広げれば、気象予報士の資格をいかせる分野は大きく広がっているのです。

? 気象予報士の間で今、問題になっていることは?

気象防災アドバイザーの分布状況《じょうきょう》

気象庁ホームページ「あなたのまちに気象防災アドバイザーを!」より(2021年12月現在)

都道府県内で活動可能なアドバイザーの人数

- 11〜15人
- 6〜10人
- 1〜5人
- なし

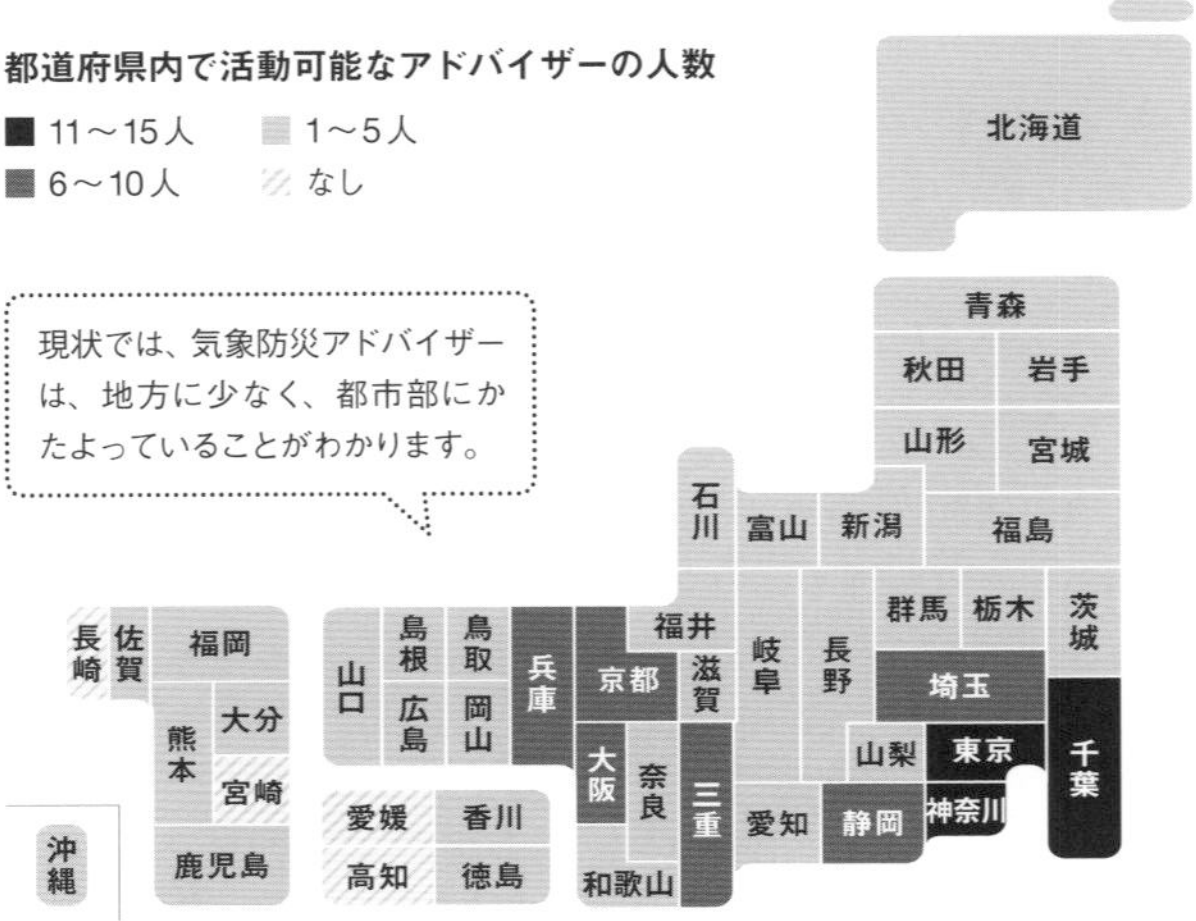

現状では、気象防災アドバイザーは、地方に少なく、都市部にかたよっていることがわかります。

気象防災アドバイザーとは?

気象の専門知識をもち、自治体の防災の現場で即戦力《そくせんりょく》となることが期待される専門家。気象庁退職者や気象予報士などで要件を満たす人が、気象庁からこの役目を任されます。

訓練や研修、防災イベントを通して、自治体職員や住民への解説・指導を行うなど、防災業務にたずさわります。

防災分野で活躍《かつやく》が期待されるも、地方では人材が不足ぎみ

地球温暖化にともない、大規模な気象災害がたびたび起こるようになっています。気象予報士には、避難《ひなん》行動などを支援《しえん》し、住民を災害から守る役割が大いに期待されています。国は、気象庁退職者や気象予報士を、地方自治体の防災の現場で活用する「気象防災アドバイザー」の制度を立ち上げましたが、地方では人材が不足しています。

一方で、気象予報士の資格をもちながら、気象とは関係ない仕事に就《つ》いている人も多いのが現状です。気象予報士の活躍《かつやく》の場を増やすことが課題といえるでしょう。テレビなどのメディアの仕事では、雇用《こよう》形態が不安定であることも課題です。

執筆協力:一般社団法人日本気象予報士会 副会長 平松信昭

これから10年後、どんなふうになる？

コンピュータの予測を活用する、
より高度な技術が必要に
気象予測の
技術が発展
防災に対する役割が
さらに大きくなる
温暖化、
気候変動
気象リスク対応の
専門家として
求められる

技術の発展や気候変動の影響《えいきょう》で、活躍《かつやく》が望まれる場がさらに拡大

気象予測の技術は、今後ますます発展するでしょう。気象予報士には、コンピュータによる詳細《しょうさい》な予測を正確に見きわめ、適切に利用できる高度な技術が必要となります。

また、温暖化にともなって、全国的に平均気温は上昇傾向《じょうしょうけいこう》です。気象災害が増えたり、被害《ひがい》が大きくなったりすることも予想されます。気象予報士の防災に対する役割はさらに大きくなり、テレビ以外のメディアや、自治体から住民への注意喚起《かんき》など、一般《いっぱん》市民に向けて伝達する場が増えることになります。

気候変動が産業に与《あた》える影響《えいきょう》も大きく、さまざまな業界で、気象リスク対応の専門家として気象予報士が求められるでしょう。

執筆協力：一般社団法人日本気象予報士会 常務理事・副幹事長 諸岡雅美

？ 気象に関する仕事の職場体験って、できるの？

職場体験でできること（例）

- 仕事について話を聞く
- 雨や気温などの観測体験
- 気象観測用の機器について説明を受ける
- 天気予報案の作成体験
- 施設内《しせつない》の見学
- 火山観測や地震《じしん》観測に関する講義・実習

など

気象台での職場体験
施設内《しせつない》を回って直接仕事のようすを見学したり、仕事の内容について話を聞いたりすることができます。また、実際に天気の観測をするなどの実習を体験させてくれる場合もあります。

写真提供：気象庁福岡管区気象台

各地の気象台で、職場体験や見学会を実施《じっし》していることも

気象に関する仕事の職場体験ができる機会は、多くはありません。予報業務を行っているのは気象庁や予報業務許可事業者に限られているうえに、業務の都合で受け入れが難しい場合もあるからです。

タイミングにもよりますが、気象庁が全国各地に設けている気象台（地方気象台など）で、職場体験を受け入れてくれる場合があります。学校の先生に相談してみましょう。

東京の気象庁本庁や各地の気象台などでは、天気や地震《じしん》のことを身近に感じてもらうために、施設《しせつ》の見学会・お天気教室といったイベントや、出前講座、講演会なども開催《かいさい》しています。

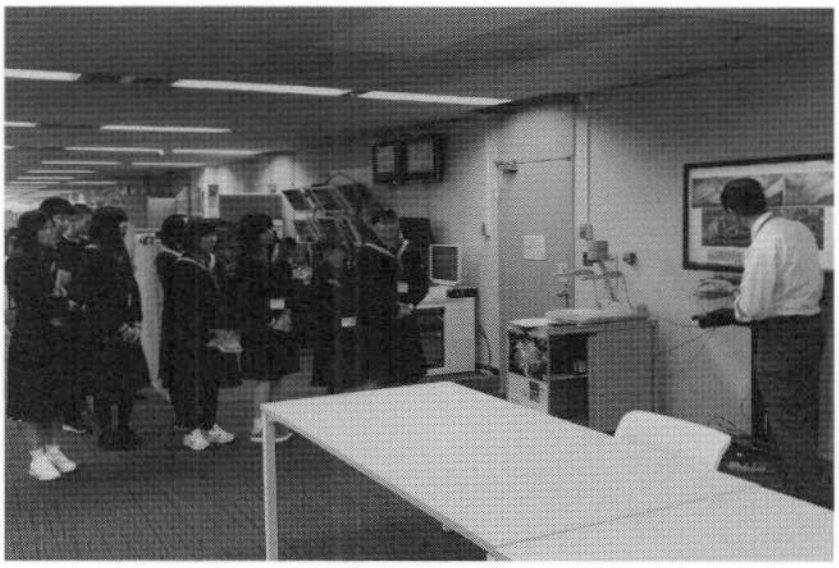

民間気象会社の職場見学会

東京の大手民間気象会社では、中学生や高校生を対象に、職場見学会を開催《かいさい》しています。地方から修学旅行で上京した生徒たちも受け入れています。

写真提供：一般財団法人日本気象協会

気象予報士による出前授業

高気圧、低気圧、雲ができるしくみ、天気図を見て天気を予想する方法などを教えてくれます。実際に自分で天気予報をつくり、発表する体験もできます。

写真提供：日本気象予報士会関西支部「楽しいお天気講座」

気象記念日

6月1日

6月1日は「気象記念日」です。1875年6月1日に東京気象台（現在の気象庁）において気象と地震《じしん》の観測が開始されたことを記念して、1942年に気象庁が制定しました。

気象庁は、毎年、気象記念日に、式典を行って気象業務に功績のあった人を表彰《ひょうしょう》するほか、気象庁の業務を紹介《しょうかい》する冊子を刊行しています。

民間気象会社などが、出前授業やイベントを実施《じっし》

職場体験ではありませんが、民間気象会社や、気象予報士がつくっている団体などが、小中学生向けに出前授業や講座、イベントを行っていることは多くあります。内容はさまざまで、気象観測、天気図作成、気象キャスター体験などの実習ができる場合もあります。講師を務める気象予報士に、仕事について話を聞くこともできるでしょう。

例えば、日本気象予報士会では、気象庁や各地の気象台と連携《れんけい》し、防災出前講座やお天気フェアなどを実施《じっし》。子どもからお年寄りまで幅広《はばひろ》い人びとに向けて、気象や防災に関する知識を広める活動を行っています。

また、各地の科学博物館などが、気象予報士を講師に招き、気象に関する講座を開くこともあります。東京には、気象庁の施設《しせつ》である気象科学館があり、気象予報士が解説員を務めています。

索引

さ

●取材協力（掲載順・敬称略）
株式会社ウェザーニューズ
一般財団法人 日本気象協会
株式会社日本ネットワークサービス
株式会社山梨放送
株式会社廣幡農園
株式会社サーフレジェンド
ANA
三井住友海上火災保険株式会社
今井明子
気象庁
京都産業大学理学部

●監修
一般社団法人日本気象予報士会

編著／WILL《ウィル》こども知育研究所《ちいくけんきゅうじょ》

幼児・児童向けの知育教材・書籍の企画・開発・編集を行う。2002年よりアフガニスタン難民の教育支援活動に参加、2011年3月11日の東日本大震災後は、被災保育所の支援活動を継続的に行っている。主な編著に『レインボーことば絵じてん』、『絵で見てわかる はじめての古典』全10巻、『語りつぎお話絵本 3月11日』全8巻（いずれも学研）、『見たい 聞きたい 恥ずかしくない！ 性の本』全5巻、『やさしく わかる びょうきの えほん』全5巻、『ごみはどこへ ごみのしょりと利用』全3巻（いずれも金の星社）、『？（ギモン）を！（かいけつ）くすりの教室』全3巻、『からだのキセキ・のびのび探究シリーズ』全3巻（いずれも保育社）など。

暮《く》らしを支《ささ》える仕事《しごと》 見《み》る知《し》るシリーズ

気象予報士《きしょうよほうし》の一日《いちにち》

2022年7月1日発行　第1版第1刷©

編　著　WILL《ウィル》こども知育研究所《ちいくけんきゅうじょ》

発行者　長谷川 翔

発行所　株式会社保育社
〒532-0003
大阪市淀川区宮原3－4－30
ニッセイ新大阪ビル16F
TEL 06-6398-5151
FAX 06-6398-5157
https://www.hoikusha.co.jp/

企画制作　株式会社メディカ出版
TEL 06-6398-5048（編集）
https://www.medica.co.jp/

編集担当　中島亜衣／利根川智恵
編集協力　株式会社ウィル
執筆協力　川崎純子／清水理絵
装　幀　大薮胤美／横地綾子（フレーズ）
写　真　向村春樹
本文イラスト　有栖サチコ／やまおかゆか
印刷・製本　株式会社シナノ パブリッシング プレス

ISBN978-4-586-08624-5　Printed and bound in Japan

乱丁・落丁がありましたら、お取り替えいたします。

消防署
パイロット
TELEVISION
消防官
（消防隊員）
気象予報士
交番
KOBAN
検察庁
検察官
警察官
Barber
理容室
理容師
建築士
学校
司書